Confitures, marmelades et gelées

Michel Chevrier

Confitures, marmelades et gelées

QUÉBEC
LOISIRS

Confitures, marmelades et gelées

Publié originalement sous le titre : *Le grand livre des confitures, des marmelades et des gelées* par Guy Saint-Jean Éditeur inc.

Guy Saint-Jean Éditeur inc.

Édition spéciale QUÉBEC LOISIRS ULC.

www.quebecloisirs.com

Dépôt légal — Bibliothèque et Archives nationales du Québec, Bibliothèque et Archives Canada, 2014

ISBN QL : 978-2-89666-322-4

Publié précédemment sous ISBN : 978-2-89455-283-4

Imprimé au Canada

Table des matières

Avant-propos

« Que ce soit par la chaleur ou par le froid, sous vide ou par paraffinage qui scelle les pores d'agrumes, la science a rendu possible la conservation à long terme des fruits dans de merveilleuses conditions… Mais avant même que ces procédés aient été élaborés et perfectionnés par les savants, une bonne façon de conserver les fruits, de manière à en avoir d'acceptables et de délicieux sous la main durant les quatre saisons, consistait – et consiste encore – à en faire des confitures ou des gelées ainsi que des conserves épaisses ou claires. Tous les fruits se prêtent parfaitement à de telles transformations, même les agrumes qui donnent quelques-unes des plus populaires de toutes les confitures, qu'on appelle habituellement « marmelades ».

Les confitures faites à la maison devraient être meilleures que celles qui sont manufacturées, puisque les premières sont faites avec du sucre – et avec amour – et les secondes, avec des succédanés du sucre – et pour le profit. Et si l'amour et le sucre ne sont pas toujours suffisants pour réussir, il est assez facile de faire une bonne confiture à condition de ne pas faire autre chose en même temps. En effet, une confiture doit être bouillie très rapidement et surveillée durant tout le temps de sa cuisson. Une confiture réussie n'est ni liquide, comme cela se produit si elle n'est pas assez cuite, ni trop épaisse, comme cela se produit si elle a été trop cuite. Toutefois, il est impossible de donner des mesures d'ingrédients ou de temps si précises qu'elles garantissent une confiture d'une consistance parfaite ; les types de fruits et de chaleur employés ont un rôle à jouer mais, règle générale, si l'on plonge une cuillère dans la confiture qui mijote et que celle-ci colle à la cuillère plutôt que de s'en égoutter aussitôt, le chaudron à confire devrait être aussitôt retiré du feu et la préparation, parfaitement brassée à la cuillère de bois… puis versée dans des verres ou des pots de porcelaine ou de verre qu'on laisse refroidir avant de les couvrir. Pour faire une gelée, rien d'autre que le jus clair qu'on aura laissé s'égoutter du sac à gelée, sans presser celui-ci, sera utilisé. Les fruits entiers peuvent aussi être empotés dans un sirop ou diverses liqueurs. »

André L. Simon, *A Concise Encyclopaedia of Gastronomy*, Collins, 1942 (traduction de l'auteur).

Instruments
et produits
employés

Le matériel requis

LES POTS

Il en existe plusieurs sortes mais deux sont utilisées plus fréquemment.

Le pot de type ordinaire : avec couvercle de métal et rondelle de métal à rebord caoutchouté qui doit être renouvelée à chaque remplissage. Ce pot est disponible en 4 grandeurs : 250 ml (1 tasse), 500 ml (2 tasses), 1 litre (4 tasses) et 2 litres (8 tasses). Les pots de 250 ml (1 tasse) sont particulièrement recommandés pour les confitures.

Le pot de type français : à rondelle de caoutchouc et couvercle de verre fixé par un étrier de métal. Ce pot coûte plus cher mais est plus beau que le premier. La rondelle de caoutchouc doit être remplacée à chaque remplissage.

Les pots de type ancien : sont d'usage peu courant aujourd'hui ; certains sont même devenus des pièces de collection. Certains pots disposent d'une rondelle de caoutchouc et d'un couvercle qui se fixe sur le dessus par des pinces, d'autres ont un couvercle de métal vissé et une rondelle de caoutchouc et de verre.

Les pots de produits commerciaux (mayonnaise, café instantané, marinades, etc.) **:** peuvent être employés pour les confitures et les gelées, jamais pour les conserves. On ne doit jamais les mettre au four pour les stériliser mais les ébouillanter.

LES USTENSILES

Une cuisinière munie d'un four.

Un chaudron à confire en fonte émaillée. Éviter surtout l'aluminium ou le fer ou n'utiliser ce dernier que pour la cuisson proprement dite. Ce chaudron doit être profond, surtout pour la cuisson des jus, des sirops et des gelées.

Un deuxième chaudron : utile dans bien des cas.

Un chaudron stérilisateur pour la stérilisation des conserves, soit :

- un autoclave (chaudron à pression) muni d'un faux-fond de métal (essentiel pour la mise en conserve des légumes, l'autoclave est aussi plus économique en temps et en énergie) ;

- un chaudron d'étain bleu avec support de métal à compartiments (capacité de 8 litres : vendu tel quel dans les quincailleries) ;

- un chaudron ordinaire mais profond, qui doit être muni d'un faux-fond troué pour permettre la circulation de l'eau, à défaut duquel on pourra mettre sous les pots des planchettes de bois car le fond des pots ne doit jamais entrer en contact avec le chaudron.

Un bain-marie : nécessaire pour faire fondre la paraffine.

Une planche de bois (et même deux) pour le traitement des gros fruits.

Un presse-jus en verre de préférence.
Une tasse à mesurer d'une capacité de 500 ml ou 1 litre (2 ou 4 tasses).

Des cuillères à mesurer : cuillères à thé (à café) et à soupe.

Des cuillères de bois : pour le brassage des préparations.

Une louche : pour le remplissage des pots.

Un pilon à pommes de terre : pour écraser certains fruits.

Une écumoire (cuillère à trous).

Un couteau à peler : si possible en acier inoxydable.

Un couteau inoxydable : pour trancher les fruits.

Un couteau à lame très fine : pour émincer les zestes d'agrumes.

Un couteau de table stérilisé : pour chasser les bulles d'air des pots lors de leur emplissage.

Des passoires à poignées : pour laver, blanchir ou passer les fruits (à défaut d'un « chinois » – voir ci-dessous).

Une spatule : non indispensable mais très pratique.

Un fouet de métal : non indispensable mais parfois très pratique.
Divers grands plats de grès ou de verre.

Au moins un gros pot de grès : pour la confiture de vieux garçon.

Un sac à gelée : ou une taie d'oreiller blanche.

De la mousseline.

Des linges à vaisselle : ou linges de coton très propres pour essuyer les fruits ou les pots.

Du papier journal : pour y déposer les pots qu'on veut laisser refroidir ou les envelopper.

Autres instruments utiles

Une balance.

Un mortier et un pilon : pour broyer les épices. L'utilisation d'un moulin à café est également possible mais il vous faudra prendre garde de ne pas l'endommager en y broyant des épices trop grosses. La cannelle entière, les noix de muscade, etc., seront râpées.

Un thermomètre.

Un dénoyauteur de cerises.

Une bouilloire électrique (souvent utile).

Un « chinois » : instrument très précieux mais malheureusement peu connu et assez difficile à trouver. Il s'agit d'une passoire, en forme d'entonnoir, perforée très finement et munie d'un trépied. Les fruits ou les légumes y sont écrasés à l'aide d'un pilon de bois conique. À défaut du « chinois », on pourra se servir d'un moulin à légumes.

Mentionnons enfin qu'on peut se servir d'un lave-vaisselle pour laver et stériliser les pots avant leur emplissage. De même, un double évier de métal, si vous en possédez un, vous sera très utile pour nettoyer et blanchir les fruits.

Les ingrédients

LES SUCRES

Un sucre est un glucide sucré et soluble. Le terme de sucre est généralement appliqué au saccharose. Il existe en fait trois types de sucre que l'on extrait des fruits ou d'autres plantes.

Le saccharose (ou sucrose): produit pur à 99,8 %, il est extrait, soit de la betterave sucrière, soit de la canne à sucre. Le sucre extrait de l'érable est aussi un saccharose. Ce sucre blanc et cristallisé fond à 160-186 °C (320-375 °F). En quantité modérée, le sucre blanc stimule la sécrétion des sucs de l'estomac et peut donc faciliter la digestion. C'est aussi un aliment énergisant puissant. Toutefois, c'est, de tous les sucres, le plus pauvre du point de vue nutritif et le plus difficile à digérer ; il peut même, si l'on en abuse, agir comme déminéralisant et irriter le tube digestif. Les formes brutes du sucre extrait de la canne à sucre sont plus riches en éléments nutritifs (vitamines, fer, calcium). Ce sont la mélasse (noire ou des Barbades) et le sucre Demerara (vendu sous le nom de cassonade sous sa forme semi-raffinée). Malheureusement, ces produits contiennent des éléments fermentescibles qui sont contre-indiqués (sauf exception) dans la préparation des confitures. Le sucre candi, en gros cristaux, est une forme plus brute du sucre blanc à glacer, une forme plus raffinée.

Le glucose (ou dextrose): les fruits sucrés, le miel, mais surtout les raisins en contiennent. Ce sucre fond à 146 °C (près de 300 °F). La pectine commerciale est préparée à partir d'amidon et de glucides.

Le lévulose (ou fructose) : il se rencontre dans les fruits mûrs sucrés (cerise, fraise, framboise, poire), le miel et le nectar de fleurs. Il fond à 102-104 °C (215 °F environ). C'est le seul sucre permis aux diabétiques.

Le sucre interverti : est obtenu par inversion du saccharose et contient, en proportions égales, du glucose et du lévulose.

La saccharine : est un succédané fabriqué à partir du toluène. À l'état pur, elle sucre 550 fois plus que le sucre ordinaire mais elle n'a aucune valeur alimentaire et peut même être considérée comme un poison. À proscrire de toute préparation.

Le miel : peut remplacer le sucre dans les préparations (sauf les gelées) à raison de deux parties en poids de miel pour trois parties de sucre normalement employé. Il est particulièrement recommandé, même s'il est moins économique que le sucre, car c'est un aliment presque complet. Le goût de certains fruits s'en trouvera amélioré à condition de ne pas employer un miel trop parfumé ou coloré comme le miel de sarrasin, par exemple.

Mentionnons enfin que d'autres produits contiennent des sucres : lait (lactose), malt (maltose), etc.

LA PECTINE

La pectine est une substance proche du sucre. Les pectines sont des polysaccharides complexes (des glucides) dont les solutions ont la faculté de se figer en gelée. C'est une substance proche de la cellulose et de l'amidon (les fécules alimentaires sont des amidons).

La pectine est donc une sorte de «gélatine végétale» contenue dans certains fruits et certaines plantes : elle porte alors le nom de mucilage. Les agrumes, les canneberges, les coings, les groseilles, les pommes acides, les pommettes, les prunes sauvages et les raisins sont riches en pectine alors que les bleuets (myrtilles), les ananas, les cerises, les fraises, les framboises, les pêches, les poires et la rhubarbe en contiennent peu. On «pectinise» une préparation, soit :

- en ajoutant des fruits partiellement verts aux fruits mûrs (sauf dans le cas de morelles noires). Les fruits verts sont en effet plus riches en pectine parce que les sucres de la pectine soutiennent le fruit dans son processus de lignification. Plus un fruit est mûr, plus il est fibreux et moins il contient de pectine. (Ne pas oublier que la partie charnue d'un fruit doit normalement servir de nourriture à la ou aux semences contenues dans ce fruit…)

- en écartant de la préparation les fruits trop mûrs ou trop gros (particulièrement vrai pour les fraises).

- en cuisant la préparation le temps requis pour qu'elle acquière la densité de pectine nécessaire à la «gélification» comme dans le cas de jus de gelées. La cuisson ne détruit pas la pectine.

- en ajoutant des fruits riches en pectine et sans goût prononcé (pommes dures) à la recette.

- en ajoutant de la pectine de pommes domestiques (voir recette, p. 145). On peut aussi extraire de la pectine des noyaux d'agrumes qu'on laisse tremper une heure en eau tiède.

- en utilisant de la pectine commerciale. Celle-ci ne modifie pas trop le goût des préparations si on l'emploie

peu et toujours moins que la quantité de pectine indi-
quée dans les recettes qui accompagnent le produit.

La vraie gélatine, une substance d'origine animale, et
l'agar-agar, extrait d'une algue et appelée «mousse du
Japon», ne seront employés que dans les préparations
qui se conservent peu de temps.

Les principaux fruits

Abricot. Arbre (abricotier) originaire de Chine et
d'Arménie. Ses fruits sont riches en vitamines A, B et C
et en divers sels minéraux. Ils sont très nutritifs et antia-
némiques à condition d'être consommés très mûrs. La
confiture d'abricots accompagne à merveille certaines
viandes. Saison : de la mi-été à l'automne.

Alkékenge. Voir Cerise de terre.

Amande douce. Arbre (amandier) originaire du Nord de
l'Afrique et du sud de l'Europe. L'amande, la plus nutritive
de toutes les noix, est un aliment énergétique de premier
ordre et elle est plus digestible si elle est légèrement grillée.
Avec les figues séchées, les noisettes et les raisins secs,
l'amande appartient au «Quatre-mendiants», qui consti-
tuait autrefois un dessert de luxe et qui tire son nom du
fait que les Franciscains, les Carmes, les Dominicains et
les Augustins n'acceptaient en offrande que ces fruits.
L'amande amère est employée en confiserie.

Ananas. Plante originaire de l'Amérique tropicale et
dont le fruit est assez riche en vitamines A et B et divers
sels minéraux. C'est un fruit très nutritif et quand il est
consommé très mûr, facile à digérer.

Angélique. Il ne s'agit pas d'un fruit mais d'une plante aromatique dont on peut confire les tiges. Celles-ci ont non seulement un goût «angélique» mais des propriétés toniques, digestives et expectorantes. Bisannuelle, cette plante se rencontre à l'état sauvage et peut être cultivée autant pour ses tiges que pour ses graines et ses racines. Il ne faut toutefois pas la confondre avec d'autres ombellifères toxiques comme la ciguë.

Avocat. Fruit très riche en vitamine B, protéines et calories, c'est un aliment presque complet et facile à digérer à condition d'être consommé très mûr. Se mange nature ou avec une sauce vinaigrette.

Banane. Fruit riche en calcium, fer et vitamines et qui est presque aussi nourrissant que la viande. La banane est facile à digérer à condition d'être consommée très mûre. Les bananes à peau tachetée de noir qui se vendent à prix réduits sont les meilleures et peuvent être employées dans des laits battus, gâteaux, pouding, etc.

Baies d'églantier. Le rosier sauvage est probablement la plus universelle de toutes les plantes. Si les pétales de fleurs (églantines) peuvent être confits, ce sont surtout les fruits de la plante qui sont utilisés. Appelés aussi «cynorrhodons» (mot grec signifiant «rosier des chiens» et dont l'origine s'explique par l'utilisation de cette plante contre la rage), ces fruits sont très riches en vitamine C (même cuits, car on sait que la chaleur détruit cette vitamine). Ils sont donc prescrits avec efficacité dans la prévention de toutes les affections des poumons. Des deux recettes présentées dans ce livre, la plus facile à réaliser est la Gelée de cynorrhodons. Pour notes complémentaires, voir Confiture de baies d'églantier, p. 68.

Bleuet (myrtille). On compte plusieurs variétés de ce petit arbuste aux fruits connus surtout pour leurs vertus astringentes (à employer contre la diarrhée) et antiseptiques des intestins. Les bleuets sont très riches en sucre et éléments nutritifs divers. Le nom de bleuet, un canadianisme, est donné en France, à la centaurée bleut (Centaurea cyanus) ; alors qu'en France, on considère cette plante comme une mauvaise herbe, au Québec, on la cultive. Saison : juillet et une partie d'août.

Canneberge. Fruits appartenant, tout comme les bleuets (myrtilles), à la famille des éricacées mais dont les fruits sont rouges ou écarlates. Il y a plusieurs variétés de cette plante dont les fruits très acides sont utilisés pour faire une gelée qui accompagne à merveille les volailles. La viorne, qui compte plusieurs variétés à fruits comestibles, est mieux connue sous le nom indien de Pimbina et ses fruits servent à faire une gelée comparable à celle des canneberges. La plante appartient à la famille des caprifoliacées (sureau, chèvrefeuille, etc.).

Cassis (groseille noire). Un des fruits les plus riches en vitamine C. Même cuit, le cassis ne perd que 15 % de sa vitamine C durant la première année de sa conservation. Le fruit est aussi riche en sels minéraux divers. Saison : parfois disponible sur les marchés en été. La plante se rencontre occasionnellement à l'état sauvage. C'est un des fruits dont la culture est des plus profitables.

Cerise cultivée. Les cerises sont assez riches en vitamines A, B et C, en sucre et divers sels minéraux. Elles sont rafraîchissantes, légèrement laxatives, dépuratives, reminéralisantes et antirhumatismales. Les queues de cerise donnent une infusion diurétique très réputée. Les noyaux macérés dans l'alcool font une excellente liqueur. Saison : il est préférable d'acheter ce fruit au plus fort de la saison, c'est-à-dire au milieu de l'été, si l'on veut en faire des confitures ou les mettre en conserve. Je ne donne dans ce livre aucune recette de cerises sauvages, celles-ci n'étant, à mon avis, bonnes qu'à faire du vin.

Cerise de terre. Les fruits de cette plante (Physalis pubescens et alkekengi) qui porte plusieurs noms populaires – amour en cage, coqueret, cerise d'hiver, herbe aux lanternes, etc. – constituent un excellent diurétique. Les fruits se consomment crus, et cuits, ils donnent une des meilleures confitures qui soit. Saison : fin de l'été et une partie de l'automne. Le prix de ce fruit est assez élevé mais s'explique par l'ampleur des procédés culturaux qu'il exige. Les fruits d'une plante apparentée et qui donne les branches ornementales appelées « lanternes chinoises » sont vénéneux. Ils sont plutôt orangés que jaunes.

Citron. Contrairement à une opinion établie, loin d'être un fruit acide, le citron est un alcalinisant dont le jus sert même, allongé d'eau, à neutraliser l'hyperacidité gastrique. Considéré à juste titre comme aliment miracle, sa richesse en vitamine C (en particulier), sels minéraux et autres éléments le rend particulièrement efficace contre nombre de problèmes de santé (grippe, problèmes du foie, rhumatisme). Le jus de citron a de plus des propriétés dépuratives sanguines qui justifient son emploi quotidien. Dans nombre de recettes présentées ici, il sert, ajouté lors des dernières minutes de la cuisson, à acidifier et à gélifier les préparations tout en leur conférant une note rafraîchissante. Toutefois, en pénétrant dans l'organisme, ce jus a une action alcalinisante. Il est conseillé de faire tremper les citrons en eau chaude pendant 5 minutes avant de s'en servir ; ils donnent ainsi beaucoup plus de jus.

Citronnelle (melon-citron) et pelures de melon d'eau (pastèque). La valeur alimentaire de ces deux melons est à peu près nulle. Toutefois, ceux-ci donnent deux des meilleures confitures qui soient (voir Marmelade de citronnelle, p. 114 et Confiture de pelures de melon d'eau, p. 84). Ils sont en saison en automne.

Citrouille. Fruit très nutritif et facile à digérer (cuit, bien sûr). Les semences, débarrassées de leurs filaments, sont délicieuses grillées au four dans l'huile et le sel.

Coing. Considéré dans l'Antiquité comme la « pomme d'or », c'est un fruit riche en vitamines A et B et qui sert surtout à faire des confitures (il ne se consomme pas cru). À cause de leur grande richesse en pectine, on peut inclure des coings dans n'importe quelle recette de confiture. D'ailleurs, le mot marmelade provient du nom portugais de ce fruit, marmelo. Le coing fut employé bien avant les agrumes dans la fabrication des marmelades. Les semences de coing sont employées en médecine naturelle ; elles peuvent absorber jusqu'à quinze fois leur poids d'eau, sont riches en calcium et peuvent servir à faire des potions adoucissantes (particulièrement en addition avec du jus de citron pour combattre le rhume des foins). L'automne est la saison des coings.

Corme. Voir Sorbe.

Cynorrhodon. Voir Baies d'églantier.

Datte. Fruit très nutritif et riche en vitamines et sels minéraux (magnésium surtout). C'est un reminéralisant et un tonique à employer surtout en automne et en hiver afin de prévenir la grippe. Il peut remplacer la figue dans de nombreuses recettes.

Épine-vinette. L'épine-vinette (berbéris) est une plante ornementale cultivée qui se rencontre à l'occasion à l'état sauvage. Ses fruits acidulés donnent un jus rafraîchissant et une excellente confiture (voir recette de Confiture d'épine-vinette, p. 74). Ce fruit stimule les fonctions digestives et abaisse la pression sanguine. Il n'est pas commercialisé.

Figues fraîches et séchées. L'un des fruits les plus anciennement connus, on a retrouvé des restes de figuier vieux de 7 000 ans. Les figues fraîches ou séchées sont très nutritives et digestibles. Riches en vitamines et sels minéraux, elles ont une action tonifiante et laxative qui en font un aliment de choix pendant la saison froide. Avec la banane sèche, la datte, la pistache et la noix de cajou, la figue est l'un des fruits possédant le plus de valeur calorique. Elle fait également partie avec les jujubes, les dattes et les raisins secs des quatre fruits pectoraux. Les figues fraîches se vendent à l'automne.

Figue de Barbarie. Appelée en anglais *prickly pear*, c'est le fruit d'un cactus nord-américain, l'oponce, qui est assez nutritif et astringent. Ses graines sont constipantes. Le fruit colore les urines en rouge. Il se consomme frais et blet (très mûr). Il se vend occasionnellement dans les épiceries spécialisées.

Fraises sauvages et cultivées. Fruit très riche en vitamines (C surtout) et en sels minéraux (fer, calcium, phosphore), son sucre, le lévulose, est permis aux diabétiques. La fraise est un aliment nutritif, reminéralisant et dépuratif. De plus, elle abaisse la tension artérielle. Elle peut malheureusement provoquer de l'urticaire chez certaines personnes. La fraise sauvage est encore plus riche nutritivement que la fraise cultivée. Bien des gourmets et des gourmands la considèrent comme le meilleur de tous les fruits tant à cause de son parfum, de sa couleur, de sa texture que de son goût.

Framboise. Fruit très riche en vitamines et sels minéraux. Comme la fraise, la framboise contient du lévulose, un sucre permis aux diabétiques. C'est un fruit pauvre en pectine.

Gadelle (groseille) rouge. Fruit riche en pectine, sucre, vitamine C et acides malique, citrique et tartrique. C'est un fruit aux propriétés digestives, diurétiques et dépuratives reconnues (voir aussi Cassis, p. 23). Les fruits sauvages se cueillent vers la mi-juillet (arrivez avant les oiseaux qui raffolent de ce fruit). Les fruits cultivés sont vendus occasionnellement à la même époque.

Grenade. Fruit riche en sucre et qui doit être consommé très mûr.

Groseille à maquereau. Composition à peu près pareille à celle de la gadelle rouge. Donne une des meilleures gelées qui soit, à cause de sa haute teneur en pectine.

Groseille noire. Voir Cassis.

Groseille rouge. Voir Gadelle.

Marron (châtaigne). Fruit très nutritif dont la composition est proche de celle du blé. C'est un fruit aussi riche en vitamine C que le citron et qui contient aussi de la vitamine B, des sels minéraux et des protides. Il doit cependant être consommé parfaitement mûr et bien cuit.

Melon. Voir Citronnelle.

Morelle noire. Plante de la famille des solanacées, famille regroupant des plantes comme la tomate, l'aubergine et la pomme de terre mais aussi des plantes violemment toxiques comme le datura stramoine, la jusquiame et la belladone. Ses fruits sont vénéneux à l'état vert mais comestibles quand ils sont mûrs. Cela est dû à la solanine, un alcaloïde que le mûrissement fait disparaître. C'est une plante très productive qui doit être cultivée car ses fruits ne sont pas disponibles sur nos marchés. Les semences sont répertoriées dans les catalogues de semences sous le nom un peu fallacieux de bleuet de jardin. Le fruit rappelle le goût du bleuet et de la tomate jaune.

Mûre de ronces. Fruit assez nutritif, riche en vitamines, sucre et pectine. La gelée de mûres est une des plus belles qui soit. On peut faire avec ce fruit une excellente liqueur.

Myrtille. Voir Bleuet.

Nèfle. Fruit riche en vitamines, tanin et sucre et qui doit être consommé très mûr. C'est un tonique astringent intestinal reconnu (à employer contre la diarrhée). Les nèfles se vendent dans les épiceries spécialisées en automne.

Noix de coco. Fruit très nutritif, riche surtout en protéines et matières grasses. On peut employer le coco râpé dans diverses recettes de confitures (en petites quantités).

Noix diverses:

Arachide: noix très nutritive, énergétique et bon marché, qui, moulue, peut être employée dans certaines marmelades et confitures.

Noisette (aveline et noisette sauvage): noix très nutritive et riche en vitamines A et B, sels minéraux et matières grasses; c'est aussi la plus digeste de toutes les noix.

Noix de Grenoble: noix très nutritive et très riche en sels minéraux (cuivre et zinc surtout).

Pignon doux (noix de pin) : noix très nutritive mais très chère à l'achat et employée surtout en confiserie.

Pistache : noix riche en protides et matières grasses ; très nutritive mais chère.

Il existe également d'autres noix plus communes : les noix de cajou, les noix du Brésil (péchurines), les pacanes (fruit d'un arbre américain à forme d'olive, le caryer) et la noix de macadamia (noix originaire d'Australie). Toutes ces noix peuvent être employées moulues ou grossièrement hachées dans certaines marmelades et confitures. De plus, comme la plupart des noix sont riches en protides, elles peuvent en partie remplacer la consommation de viande tout comme d'ailleurs la banane séchée, les dattes et les figues séchées, les fèves soja et les pois chiches.

Orange. C'est un des meilleurs fruits à consommer en hiver tant pour sa richesse en vitamines C, A et B que pour les sels minéraux et les acides malique, tartrique et citrique qu'il contient. L'orange est donc très nutritive et a aussi une action tonique et digestive marquée. Les gelées et marmelades préparées avec ce fruit sont très digestibles et agissent sur les problèmes gastriques, intestinaux et hépatiques. Cent grammes (3,5 onces) de jus d'orange fournissent la dose de vitamine C requise quotidiennement par un adulte. Les fruits les plus riches en vitamine C sont l'orange, le citron, la mangue, la goyave, le kiwi (actinidie de Chine), le cassis, la fraise, le cynorrhodon et, le plus vitaminé de tous, la « cerise des Barbades » (malphigia glabra) qui n'est malheureusement pas importée.

Pamplemousse. Sa composition est très proche de celle de l'orange et du citron. Le jus de pamplemousse combat très bien l'insuffisance biliaire. Son action apéritive, digestive et dépurative est réelle. Les zestes de pamplemousse cuisent plus rapidement que ceux des autres agrumes.

Papaye (et papaïne). Bien que je ne donne aucune recette de confiture pour ce fruit originaire des îles Moluques, un mot doit être glissé à la gloire de la papaye. En effet, celle-ci contient un ferment, la papaïne, qui est un médicament souverain contre tous les problèmes des voies digestives. On le considère comme un fruit miracle au même titre que l'orange ou le citron. Le fruit, qui doit se consommer blet, se sert comme le melon, avec du sucre et un peu de jus de citron ou de gingembre frais finement râpé ou bien avec du sel et du poivre. Voilà le meilleur parti à tirer de ce fruit dont le prix est plutôt élevé (autant en profiter au maximum en le mangeant cru). Les semences conservées dans le vinaigre peuvent servir de condiment.

Pastèque. Voir Citronnelle.

Pêche. Fruit assez nutritif et légèrement laxatif. Les pêches sont en saison de la fin de l'été jusqu'au début de l'automne.

Pétales de rose. Voir Baies d'églantier.

Pelures de melon d'eau (pastèque). Voir Citronnelle.

Pimbina. Voir Canneberge.

Poire. Fruit riche en sucre (lévulose), vitamines et sels minéraux, la poire a une action rafraîchissante et diurétique. C'est un des rares fruits permis aux diabétiques. La poire se congèle mal.

Pomme et pommette. La pomme est peut-être, de tous les fruits, le plus anciennement connu. «Nous sommes confondus d'apprendre que des hommes de la pierre, les palafittes en témoignent, savaient conserver les pommes en tranches, à l'état sec. » (*Les fruits tropicaux*, J.F. Leroy, «Que sais-je ? 237»). La pomme est un aliment-remède riche en sucres, sels minéraux, vitamines (B et C surtout) et calories. Elle a des vertus toniques, diurétiques et antirhumatismales. N'employer que les pelures de pommes qui n'ont pas été aspergées d'insecticides. Les pommes les plus riches en pectine sont les pommettes sauvages.

Prunes sauvages et cultivées. Fruit assez riche en vitamines A, B et C et divers sels minéraux, la prune est un stimulant nerveux et un aliment détoxicant. Le jus a une action plus marquée que le fruit lui-même. La prune sauvage est, pour sa part, recommandée comme fortifiant. Sa peau a une saveur amère qu'on peut éliminer en partie en faisant de la gelée. La prune sauvage se cueille à la fin d'août, est de couleur rouge orangé ou jaunâtre et a la dimension d'une grosse cerise.

Pruneau. Forme séchée de la prune, le pruneau est donc plus riche en sucres, calories et sels minéraux. Très nutritif, c'est également un tonique nervin efficace et un fruit fréquemment employé pour lutter contre la constipation.

Raisin cultivé et sauvage. Fruit riche en vitamines, sels minéraux (fer en particulier), sucres (glucose et lévulose). Il a des propriétés énergétiques, reminéralisantes, diurétiques et détoxicantes. Le raisin est particulièrement recommandé contre l'anémie, le surmenage, l'arthritisme et la constipation. Le raisin sauvage provient d'une variété nord-américaine de vigne très abondante là où elle croît. Le raisin est excellent en jus ou en gelée (voir recettes). Il ne faut toutefois pas le confondre avec les fruits vénéneux du parthénocisse et du ménisperme du Canada, plantes qui poussent souvent dans les mêmes habitats.

Raisin sec. Il a à peu près les mêmes vertus que le raisin frais en plus d'être plus énergétique. C'est un régulateur intestinal de premier ordre.

Rhubarbe. Il ne s'agit pas d'un fruit, bien sûr, mais d'une plante dont les tiges sont fréquemment utilisées dans les confitures. Les feuilles de rhubarbe sont, à cause de l'acide oxalique qu'elles contiennent à haute dose, vénéneuses.

Sorbe. Fruit du sorbier d'Amérique (ou cormier), il doit être cueilli après quelques gelées d'automne. Les sorbes (ou cormes) sont employées pour faire des confitures ou des gelées. Séchées, elles entrent, tout comme les baies de sureau, dans la fabrication du vin domestique.

Sureau noir. Les fruits noirs et très abondants de cet arbuste qui forme parfois de grandes colonies le long des routes de certaines régions du Québec sont légèrement toxiques et peuvent provoquer, à haute dose, des nausées et de la diarrhée. Toutefois, bien cuit dans le sucre et épicé de cannelle ou de clou de girofle, le sureau noir devient digestible et savoureux.

Tomate jaune. Moins acide que les autres tomates, la tomate jaune donne une excellente confiture. Au jardin, c'est une plante productive. On en trouve à l'occasion vers la fin de l'été dans les marchés en plein air ou certaines épiceries spécialisées.

Viorne. Voir Canneberge.

Les
méthodes de
conservation

Séchage des fruits

C'est la plus ancienne méthode connue de conservation des fruits. Dans certains cas, la valeur nutritive du produit séché se trouve concentrée malgré une perte en vitamine C importante. C'est le cas de la datte, de la figue, de la banane, du raisin, du pruneau qui sont les plus riches en sucres de tous les fruits. On peut encore plus facilement sécher les petits fruits comme les baies de sureau, les bleuets (myrtilles), les sorbes, etc. Les fruits trop juteux ne se sèchent pas.

La façon classique de sécher les fruits consiste, après les avoir triés, préparés et dans certains cas blanchis et asséchés (voir Tableau II, p. 164), à les placer, soit au soleil (sur des surfaces permettant une circulation d'air, comme des claies d'osier ou de la mousseline tendue sur un cadre de bois), soit au four, à environ 40-50 °C (110-140 °F). Le four doit avoir un courant d'air chaud sinon on doit en ouvrir légèrement la porte de manière à empêcher les fruits de cuire. Les fruits doivent être, dans un cas comme dans l'autre, fréquemment brassés et retournés et dans le cas des gros fruits, placés individuellement. Une fois séchés, on peut garder les fruits dans des pots de verre, des boîtes de bois ou même des sacs de plastique qu'on gardera au sec. Pendant plusieurs semaines après l'entreposage, on doit tous les deux ou trois jours s'assurer qu'aucune humidité ne se forme dans les contenants. Si la chose se produit, il suffit de sécher les fruits de nouveau.

Congélation des fruits

Les fruits congelés perdent un peu moins d'éléments nutritifs que ceux mis en conserve ou cuits et sucrés, même s'ils perdent eux aussi une partie de leurs vitamines (A et C en particulier). La congélation est une méthode avantageuse parce qu'elle est rapide et économique. Par ailleurs, plus les fruits seront frais et fermes au moment de leur congélation, meilleurs ils seront (les fruits trop gros ou trop mûrs seront mis de côté pour la fabrication de compotes). Plus vite les fruits congelés seront consommés, le mieux ce sera (maximum de 12 mois). Au bout de ce temps, ils risquent d'être atteints de la «brûlure de congélation», qui les rend secs, incolores et sans aucune saveur. Il est aussi important de congeler les fruits dans des contenants hermétiques (les sacs à congélation de plastique sont les plus recommandés, malgré leur prix assez élevé) d'où l'on chasse le plus d'air possible en les pressant délicatement ou en utilisant une paille.

Les fruits consommés à sec et au sucre seront d'abord étalés sur des plaques (à biscuits ou autres) de manière à rester séparés. Ils seront ensachés dès que congelés.

Les trois méthodes de congélation des fruits sont :

- À sec (pour fruits acides) : les fruits sont étalés, congelés et aussitôt ensachés tels quels.

- Au sucre (fruits demi-sucrés) : les fruits sont étalés, enrobés de sucre, congelés puis ensachés.

- Au sirop (fruits très sucrés) : les fruits préparés sont placés dans les sacs puis couverts de sirop cuit et refroidis.

Afin de conserver la saveur des petits fruits juteux (fraises sauvages, framboises et mûres surtout), il est préférable de les congeler avec du sucre plutôt qu'à sec. Les fruits congelés peuvent très bien être employés dans la confection de compotes, de gelées et de confitures.

Mise en conserve

C'est Nicolas Appert qui, au début du XIXe siècle, inventa le procédé de mise en conserve des fruits et des légumes, par empotage, stérilisation et scellement hermétique des produits d'où le nom appertisation. L'œuvre d'Appert s'intitule *Le livre de tous les ménages, l'art de conserver pendant plusieurs années toutes les substances animales et végétales*. L'auteur reçut 12 000 francs-or du gouvernement français pour la publication de son procédé. La température requise est de 80-120 °C (175-215 °F).

Les 6 manières de conserver les fruits sont :

- Avec du sirop, à chaud. Faire le sirop, y jeter les fruits préparés et amener les fruits et le sirop à ébullition. Retirer aussitôt le chaudron du feu et remplir les bocaux jusqu'à 2,5 cm (1 po) du bord. Passer ensuite à l'étape 6 (voir plus loin).

- Avec du sirop, à froid. Les fruits sont placés tels quels dans les bocaux et couverts de sirop. Remplir jusqu'à 2,5 cm (1 po) du bord. Passer à l'étape 6.

- Avec du sucre et de l'eau bouillante. Remplir la moitié des bocaux de fruits puis alterner les rangs de fruits et de sucre jusqu'à 2,5 cm (1 po) du bord du pot. Fermer les pots et les pencher dans tous les sens pour dissoudre le sucre. Passer à l'étape 6.

- Avec du sucre seulement. Les fruits sont placés dans les bocaux et chaque rang est suivi d'un rang de sucre. Il faut d'abord écraser une partie des fruits au fond du chaudron à confire puis chauffer le reste des fruits en ajoutant de l'eau au besoin pour empêcher qu'ils ne collent. Alterner ensuite les rangs de fruits et de sucre en les tassant bien. Remplir le bocal jusqu'à 2,5 cm (1 po) du bord et passer à l'étape 6. Cette méthode est particulièrement recommandée pour les bleuets, les cerises et la rhubarbe.

- Sans sucre (au naturel). Préparer les fruits et les entasser dans les bocaux d'eau bouillante ou mieux, de jus de fruits (de pomme, par exemple). Placer les couvercles et passer à l'étape 6, en stérilisant les pots pendant 30 minutes à l'autoclave ou, un peu plus longtemps, au stérilisateur ordinaire.

- Conserves en eau froide. Les groseilles à maquereau, la rhubarbe et les canneberges sauvages peuvent se conserver ainsi. Mettre les fruits nettoyés dans les pots, remplir ceux-ci d'eau très froide, placer et visser partiellement les couvercles. Déposer alors les pots sous un jet d'eau très froide pendant 20 minutes puis sceller. Les laisser égoutter puis les assécher parfaitement avant de les entreposer dans un endroit très frais, mais non humide.

Étape 1

SÉLECTION ET PRÉPARATION DES FRUITS

Choisir des fruits frais et fermes en écartant les fruits trop mûrs (à employer pour les compotes seulement) ou trop gros (cas des fraises en particulier). En fait, il s'agit de préparer les fruits exactement comme si on allait les servir. Dans le cas des petits fruits, les trier soigneusement en écartant ceux qui sont trop ou pas assez mûrs (on emploiera ceux-ci dans une gelée). Une façon simple de trier les petits fruits consiste à les placer dans beaucoup d'eau froide ; ceux qui flottent sont à rejeter. Éviter de laver les petits fruits si c'est possible, surtout les fruits tendres comme les fraises sauvages, les framboises et les mûres. Dans le cas des gros fruits, les laver et les essuyer soigneusement, surtout s'il s'agit de fruits achetés et couverts d'insecticide. Dans le cas des agrumes, les couvrir d'eau chaude et les laisser reposer 5 minutes avant de les égoutter et les essuyer avec un linge sec, surtout si l'on désire utiliser leurs zestes. Pour les confitures, gelées et marmelades, on sélectionnera les fruits de la même façon, quoi qu'il soit préférable de toujours inclure des fruits semi-mûrs dans ces préparations ; ceux-ci étant plus riches en pectine que les fruits mûrs, ils leur donneront plus de consistance de gelée.

Étape 2

STÉRILISATION DES USTENSILES
ET DES POTS

Stériliser les pots, les rondelles de caoutchouc ou de métal à rebord caoutchouté et les couvercles de métal ou de verre en les faisant bouillir pendant 15 minutes. Remplir les pots à moitié d'eau avant de les placer dans l'eau et de porter à ébullition. Mieux encore, mettre les pots dans le four froid et porter la température de celui-ci à 70-90 °C (160-200 °F) ; les laisser pendant 15 à 20 minutes, en faisant bouillir les rondelles et couvercles dans l'eau. Si le thermostat de votre four est imprécis, il est préférable de faire bouillir les pots car avec une température trop élevée, on risque qu'un bocal ayant une fêlure invisible ou souffrant d'un défaut de fabrication n'éclate. En stérilisant les pots, toujours remplir le chaudron du plus grand nombre de pots possible même si on ne prévoit pas tous les utiliser : les pots se heurteront moins violemment. Laisser quand même un certain espace entre les pots. Enfin, ne jamais employer de bocaux de produits commerciaux (mayonnaise, café, etc.) pour la mise en conserve. Stériliser aussi les ustensiles qui doivent être employés (couteaux, cuillères de bois, tasses à mesurer, etc.). Les ustensiles et les pots peuvent être nettoyés et stérilisés au lave-vaisselle.

Étape 3

BLANCHIMENT ET REFROIDISSEMENT DES GROS FRUITS

Cette opération ne concerne que les gros fruits qui doivent être pelés ; le blanchiment élimine aussi une partie de l'acidité des fruits et en facilite le traitement. Le blanchiment consiste à mettre les fruits dans l'eau bouillante en les plaçant d'abord dans un panier de broche à poignées, une passoire à poignées ou une double épaisseur de mousseline. Blanchir le produit en suivant scrupuleusement le nombre de minutes indiqué dans le Tableau V (p. 167). Aussitôt ce temps écoulé, retirer les fruits de l'eau bouillante et les placer en eau très froide (ou même sous un jet d'eau). Renouveler cette eau jusqu'à ce que les fruits soient refroidis. On arrête ainsi leur cuisson tout en s'assurant de leur conserver leurs couleurs. Peler ensuite les fruits et enlever les parties meurtries et les cœurs à noyaux. Les poires et les pommes ne doivent être blanchies qu'après avoir été pelées.

Étape 4

PRÉPARATION DU SIROP
(S'IL Y A LIEU)

Préparer ensuite le sirop en le faisant bouillir doucement pendant 5 minutes, tout en l'écumant à mesure. Surveiller la cuisson jusqu'au moment où le sirop commence à bouillir, car celui-ci a toujours tendance à déborder du chaudron. La densité du sirop (proportion sucre et eau) se calcule selon l'acidité du fruit traité (voir Tableau V, p. 167).

Étape 5

EMPLISSAGE DES BOCAUX

Sortir les pots du four ou du chaudron d'eau bouillante et les déposer sur des linges à vaisselle pliés ou du papier journal. Les laisser refroidir une minute avant de les emplir, en évitant de les exposer aux courants d'air. Ne jamais emplir les pots d'un coup et, pour éviter qu'ils ne se craquellent, employer le truc de la cuillère (placée dans un pot, la cuillère absorbe en effet le surplus de chaleur). Une fois les pots emplis, chasser les bulles d'air qui peuvent se former le long des parois à l'aide d'un couteau stérilisé ou en frappant délicatement le fond, en les tenant bien droits, sur du papier journal ou des linges pliés. Pour les confitures, marmelades et gelées, laisser refroidir pendant 12 heures au moins avant de paraffiner et de sceller.

Étape 6

SCELLEMENT PARTIEL OU TOTAL
ET STÉRILISATION DES POTS

• Une fois les bocaux remplis (pots de type ordinaire), mettre en place les rondelles à rebord caoutchouté et les couvercles de métal et fermer en les serrant le plus possible.

• Pour les pots de type français (à pinces), placer la rondelle de caoutchouc mouillée sur le rebord du bocal et rabattre seulement la pince la plus longue de l'étrier sur le couvercle de verre (ne rabattre la petite pince qu'après la stérilisation).

• Enfin, pour les pots à couvercle de verre et cercle de métal, placer la rondelle de caoutchouc mouillée sur le rebord du pot et placer le couvercle de verre dessus. Mettre ensuite le cercle de métal et le visser presque complètement. Cette précaution est essentielle pour éviter l'éclatement des pots lors de la stérilisation.

Dans les trois cas, s'assurer que les cercles de métal ou l'étrier métallique soient bien en place, surtout s'il s'agit de vieux pots.

Remplir partiellement le stérilisateur d'eau à la même température que celle des pots avant d'y placer ceux-ci. Le fond des pots ne doit absolument pas reposer directement sur le fond du stérilisateur. À cette fin, si le stérilisateur n'est pas muni d'un faux fond de métal troué ou d'un panier de broche, on placera au fond des planchettes de bois. Mettre les pots dans le stérilisateur en laissant un espace de 2,5 cm (1 po) entre chacun. Ajouter ensuite de l'eau (en quantités différentes selon le type de stérilisateur employé – voir ci-dessous). Remplir le stérilisateur de pots, même s'ils ne doivent contenir que de l'eau chaude.

· **Stérilisation au chaudron ordinaire** (d'étain bleu avec panier de broche ou autres) : finir de remplir le chaudron d'eau chaude de manière à ce que les pots soient recouverts de 5 cm (2 po) d'eau. Cette précaution est essentielle si l'on veut que les produits cuisent uniformément et ne se décolorent pas. Ne pas verser l'eau directement sur les couvercles des pots, surtout ceux de verre. Achever la stérilisation comme indiqué plus bas.

· **Stérilisation à l'autoclave** (chaudron à pression) : cette méthode est plus économique car elle requiert moins d'électricité et de temps. Suivre les indications requises (dans le livret d'instructions fourni par le détaillant de l'autoclave) pour la cuisson habituelle des produits. Toutefois, 1) ne remplir l'autoclave d'eau chaude qu'à la moitié de la hauteur des pots et 2) une fois la stérilisation achevée, laisser tomber complètement la pression de l'autoclave avant de l'ouvrir.

Dans tous les cas, suivre le nombre de minutes de stérilisation indiqué dans le Tableau V (p. 167) : dans le cas du stérilisateur ordinaire, à partir du moment où l'eau bout à gros bouillons et à l'étuvée ; dans le cas de l'autoclave, à partir du moment où la pression s'est régularisée.

Étape 7

SCELLEMENT FINAL
ET REFROIDISSEMENT DES POTS

Une fois la stérilisation achevée, retirer délicatement et prudemment les pots du stérilisateur. Les placer sur une surface non froide, soit une planche de bois, un linge plié ou du papier journal. La cuisine où l'on travaille ne doit pas être trop froide et être exempte de courants d'air.

La stérilisation en ayant déjà assuré le scellement, ne pas visser les couvercles de type ordinaire.

Rabattre la petite pince de l'étrier des pots de type français. Sceller en serrant les couvercles le plus possible des pots de type ancien.

Si, après la stérilisation, les pots ne sont pas entièrement pleins (ou si les fruits flottent à leur surface), peu importe. Il ne faut, sous aucun prétexte, les ouvrir pour ajouter du sirop. Le contenu des pots est sous vide et parfaitement protégé.

On peut vérifier l'herméticité des pots en les plaçant ou tenant la tête en bas pendant 2 à 3 minutes. Si du sirop s'écoule d'un pot, en consommer le contenu le plus tôt possible ; il est inutile de le stériliser de nouveau car il serait alors trop cuit. Faire cette vérification quand les pots ont refroidi.

Étape 8

PARAFFINAGE DES POTS (POUR CONFITURES, GELÉES ET MARMELADES SEULEMENT)

Quand les pots sont parfaitement refroidis, les paraffiner deux fois. Quand la paraffine est parfaitement sèche, fermer ceux-ci avec un couvercle (mais pas exagérément pour ne pas déplacer le tampon de paraffine) ou avec une rondelle de tissu et un élastique ou une corde. Manipuler la paraffine avec prudence car c'est un produit hautement inflammable : un bain-marie est pour ainsi dire essentiel pour la faire fondre. À défaut de paraffine, couvrir le pot d'une rondelle de papier d'emballage préalablement imprégné d'un blanc d'œuf battu ou de brandy ou encore d'alcool à 40 %.

Étape 9

ÉTIQUETAGE ET ENTREPOSAGE DES POTS

Quand les pots sont parfaitement refroidis, les essuyer soigneusement, d'abord avec un linge humide puis avec un linge parfaitement sec. Inscrire sur une étiquette le contenu des pots et l'année de leur fabrication ; pour les pots de type ordinaire, indiquer le contenu du pot sur le couvercle de métal avec un crayon feutre (cela est très pratique). Envelopper les pots dans un papier journal (de manière à conserver la couleur des fruits) ou les remettre dans leurs boîtes de carton et fermer celles-ci.

Garder les pots dans un endroit obscur, sec mais assez frais. Éviter à tout prix les lieux humides ou trop chauds.

Étape 10

CONSERVATION DES POTS

De préférence, consommer les conserves de fruits au cours de l'année qui suit leur fabrication (sauf pour les fruits conservés dans l'alcool). Leur valeur alimentaire sera plus élevée et j'en donne pour exemple la Confiture de cassis (voir recette, p. 70) qui, durant la première année de sa conservation, perd 15 % de sa vitamine C contre 70 % au cours de la deuxième année.

Au sujet de la conservation des conserves, il n'est pas inutile, je crois, de glisser un mot sur le botulisme. Il s'agit d'une intoxication extrêmement grave et foudroyante provoquée par la consommation de conserves mal stérilisées ou entreposées. Les bactéries responsables de cet empoisonnement prolifèrent surtout dans les aliments non acides (légumes tels les asperges, les fèves, les haricots et le maïs). C'est pourquoi le contenu de toute conserve qui coule lors de l'entreposage ou qui, lorsqu'on l'ouvre, présente des bulles, de l'écume ou une odeur suspecte, doit être immédiatement jeté (même si, par malheur, l'acide botulique est inodore). On dit qu'une cuisson d'une durée de 30 minutes détruit les toxines botuliques… cela ne justifie pas le risque d'employer un aliment suspect. Je vous recommande donc de congeler les légumes ci-haut mentionnés plutôt que de les mettre en conserve ou alors de n'employer que des pots parfaits et de les stériliser le temps indiqué dans les recettes. Par ailleurs, n'acheter dans les épiceries et marchés que des boîtes de conserve parfaites (se méfier des ventes fracassantes de boîtes bosselées ou éraflées).

Toutefois, dans le cas des confitures, des gelées et des marmelades :

- si elles fermentent et débordent, les mettre dans le chaudron à confire et les cuire pendant 20 minutes en rajoutant du sucre ;

- si elles moisissent, enlever les moisissures et, si désiré, les recuire ;

- si elles ont durci exagérément, leur incorporer du jus de citron et les cuire de nouveau jusqu'à la consistance désirée en les brassant bien durant tout le temps de la cuisson.

Quelques conseils

Chauffage du sucre au four. On demande dans quelques recettes de faire chauffer le sucre au four avant de l'incorporer aux préparations. S'assurer alors que le plat dans lequel on met le sucre est parfaitement sec, et chauffer le sucre à 125 °C (250 °F) car le sucre blanc commence à fondre à 160 °C (320 °F). Cette opération a pour but de ne pas interrompre l'ébullition des jus ou des fruits. Elle est surtout prescrite dans la préparation des gelées.

Décoloration des fruits. Celle-ci peut être due à un mauvais refroidissement (trop lent ou insuffisant) des fruits après leur blanchiment, à une stérilisation incorrectement pratiquée, à une exposition à la lumière lors de l'entreposage des fruits ou, au pire, à une corruption des produits. On peut, si on le désire, ajouter de l'acide ascorbique (vitamine C) aux conserves mais c'est, à mon avis, une pratique superflue. Par ailleurs, pour empêcher la décoloration ou le noircissement des fruits lors de leur traitement, les jeter à mesure qu'ils sont préparés dans une solution d'eau citronnée, salée ou vinaigrée (pêches, poires, pommes surtout) ; inutile d'ajouter qu'il faut bien les égoutter par la suite.

Fruits qui flottent dans le sirop. De nombreuses causes expliquent ce phénomène : les fruits employés étaient trop gros ou trop mûrs ; ils ont été stérilisés ou cuits trop longtemps ; le sirop employé était trop épais ou, enfin, les fruits ont réduit lors de la cuisson partielle qui survient lors de la stérilisation des pots. Parer à l'inconvénient. Comme la chose est surtout désagréable dans le cas des fraises, voir Confiture de fraises cultivées II, p. 77.

Petites quantités. Un des secrets pour réussir ses confitures et autres conserves de fruits consiste à toujours les préparer en petites quantités comme celles données dans les recettes.

Produits qui débordent. Les sirops et les jus surtout ont une fâcheuse tendance à déborder du chaudron à confire. Il est donc recommandé de toujours surveiller l'ébullition jusqu'à ce qu'elle se soit régularisée et que l'on ait réglé l'intensité du feu. Pour modérer une ébullition trop vive, souffler fortement ou battre la surface rapidement avec un fouet de métal. Écumer les préparations et employer un chaudron profond réduisent également les risques de débordements.

Restants de sirop. Épaissir ceux-ci en les cuisant et s'en servir comme sauce sur de la crème glacée, des crêpes et autres desserts.

Thermomètre. Une façon plus scientifique de calculer si une préparation est à point consiste à en mesurer le degré de température avec un thermomètre à bonbons. C'est ainsi que les gelées, les confitures et les marmelades seront à point à 104-105 °C (220-222 °F). Les préparations à base de fruits riches en pectines le seront à 103 °C (218 °F).

Confitures, gelées, marmelades, compotes, sauces et beurres

LES CONFITURES

Une confiture est une préparation semi-opaque et « géli-fiée » essentiellement composée de petits fruits entiers ou de gros fruits pelés, épépinés et tranchés, frais (parfois secs) et de sucre. On n'ajoute le plus souvent des épices aux confitures que pour améliorer le goût fade (citrouille) ou temporairement désagréable (pimbina, sureau) de certains fruits. On ajoute de la pectine naturelle aux pré-parations de fruits qui en manquent. (Sur le rôle du jus de citron très souvent employé dans les recettes, voir Citron, p. 24). On peut épaissir avec divers types de noix mou-lues ou hachées les confitures qui n'ont pas la consistance désirée ou dont le goût manque de corps.

On confit aussi des pétales de fleurs (rose, violette), des tiges de plantes (angélique), des pétioles (rhubarbe) et des racines (gingembre, tussilage). On peut aussi confire les fruits dans l'alcool.

On pourrait, à la rigueur, donner le nom de confiture à d'autres préparations culinaires comme certaines marinades et sauces douces ou fortes à base de fruits conservés dans le vinaigre et certaines liqueurs sucrées à base de fruits dont le jus est exprimé par simple macéra-tion dans l'alcool. Néanmoins, comme pratiquement les termes de sauce et marinade servent surtout à décrire des préparations à base de légumes et d'épices et que celui de liqueur s'applique tout autant aux préparations à base d'épices, de semences, de fleurs, de racines, de simples (herbes médicinales)… je m'arrête ici.

Recette type de confiture. Compter 340 g (¾ de lb) de sucre par 450 g (1 lb) de fruits. La veille, alterner dans un plat de verre ou de grès (ou dans le chaudron à confire s'il est en fonte émaillée) les rangs de fruits et de sucre. Le lendemain, retirer les fruits du plat avec une écumoire, cuire le jus sucré obtenu pendant 15 minutes à feu très doux. Écumer le sirop puis y déposer les fruits et les cuire assez rapidement (les petits fruits sont cuits de 15 à 20 minutes, les pêches, les abricots, les ananas et les prunes, 30 minutes et les melons et les poires, de 2 à 2 ½ heures). Une fois la cuisson achevée, retirer le chaudron du feu et verser les fruits dans les bocaux stérilisés. Laisser refroidir complètement la confiture avant de paraffiner et de sceller les pots.

Pour le détail complet des autres étapes de la préparation, revoir les étapes 1, 2, 3, 5, 8, 9 et 10 (aux p. 38 et suivantes).

LES GELÉES

Une gelée est une préparation translucide et brillante, d'une consistance approchant celle de la gélatine, obtenue par attendrissement ou cuisson partielle, expression puis cuisson d'un jus de fruit auquel on incorpore petit à petit du sucre blanc. Le rôle de la pectine et du sucre est ici essentiel (voir Pectine, p. 19).

Comme les gelées sont parmi les préparations de fruits les plus difficiles à réussir, j'en donne ici le mode complet de préparation :

Procéder d'abord aux étapes 1 et 2 (p. 38 et 30). Couper ensuite les gros fruits en 4 ou 8 et les cuire en leur ajoutant, si l'on en a, des zestes ou des noyaux d'agrumes, des pommes très acides ou des coings : les faire bouillir avec de l'eau le temps requis pour qu'ils rendent leur jus (voir Tableau VI, p. 168). Dans certaines recettes, on attendrit les petits fruits à feu doux, au four ou au bain-marie sans leur ajouter d'eau (ou juste ce qu'il faut pour les empêcher de coller) ; le plus souvent, ces petits fruits sont écrasés au pilon.

On place ensuite le jus et la pulpe obtenus dans un sac à gelée (personnellement, je me sers d'une taie d'oreiller blanche, ni trop neuve pour ne pas que des fibres se mélangent à la gelée, ni trop usée pour ne pas qu'elle cède sous le poids des fruits). On accroche ensuite le sac à gelée au-dessus d'un grand récipient de verre, de grès ou de fonte émaillée (de plastique à la rigueur). Ne jamais presser le sac à gelée (ceci afin d'obtenir un jus parfaitement clair).

Le lendemain, mesurer le jus obtenu et, règle générale, compter, en volume, autant de sucre. Ne pas jeter le contenu du sac à gelée ; on peut en faire une seconde extraction du jus en le remettant à cuire avec assez d'eau pour en faire une bouillie assez liquide. Ce deuxième jus sera moins clair que le premier, aussi pourra-t-on le filtrer si on désire en faire de la gelée.

Verser le jus dans un chaudron le plus profond possible. Ne jamais cuire plus de 2 litres (8 tasses) de jus à la fois.

À partir d'ici, ne pas quitter le chaudron des yeux.

Amener le jus à ébullition, le cuire le temps indiqué. Après l'écumage, petit à petit, y incorporer le sucre, sans interrompre l'ébullition. Pour assurer la réussite, chauffer préalablement le sucre à four doux (pas plus de 125 °C, soit 250 °F), dans un plat parfaitement sec (ne jamais chauffer le sucre par temps humide). Quand le sucre à été dissous, cesser de brasser la gelée mais l'écumer au besoin et la cuire le temps requis. Le Tableau VI n'indique aucun temps de cuisson des gelées car trop de facteurs entrent en ligne de compte pour en donner qui soient satisfaisants ; cela tient à ce que le jus doit cuire le temps nécessaire pour qu'il atteigne le degré de pectine essentiel à sa « gélification ». Pour savoir si la gelée est prête, en mettre un peu sur une soucoupe très froide ou une cuillère de métal froide et observer le résultat. Une autre façon de procéder consiste à tremper une cuillère de bois dans le mélange et de l'en retirer ; si la gelée forme de grosses gouttes épaisses en s'attachant à la cuillère, elle est à point.

À partir d'ici, reprendre les étapes 5, 8, 9 et 10 (p. 41 et suivantes).

Quelques conseils sur les gelées

Exposition au soleil. Dans nombre de vieilles recettes, on prescrivait de placer les pots de gelée découverts au soleil pendant une journée. Je n'ai trouvé nulle part d'explications de cette pratique. Peut-être, autrefois, dans les maisons inégalement ou mal chauffées, l'endroit ensoleillé de la maison était-il le seul lieu assez chaud pour assurer une bonne évaporation de l'humidité des gelées encore chaudes et liquides. Peut-être aussi les rayons du soleil, en chauffant doucement les gelées, en chassaient-ils les dernières bulles et impuretés ?

Gelées ratées. Si la gelée est trop liquide, la remettre à mijoter et y incorporer de la pectine. Si par contre, elle est trop épaisse, la remettre à mijoter avec quelques gouttes de jus (de pomme ou autre) et y incorporer du jus de citron.

Pectine (degré de). Une façon «scientifique» de savoir si un jus contient suffisamment de pectine consiste, après l'avoir fait bouillir pendant 3 minutes, à en prélever 1 c. à thé (à café) et à le mélanger à 1 c. à thé (à café) d'alcool à friction (rien d'autre). Si au bout de 30 secondes, le tout forme une masse gélatineuse, le jus contient la quantité de pectine requise. Ne goûter à aucun moment à ce mélange toxique et le jeter aussitôt après l'expérience.

LES MARMELADES

Une marmelade est une préparation le plus souvent épaisse mais translucide et laissant voir de petits morceaux de fruits ou de zestes d'agrumes émincés. Ces derniers fruits entrent pour une grande part dans la composition des marmelades alors qu'autrefois, c'est le coing qui jouait ce rôle. Comme le coing, les agrumes sont très riches en pectine tout en étant plus acides et parfumés que ce dernier et en donnant des teintes ambrées très belles. Les marmelades sont cuites plus longtemps que les confitures et se conservent mieux. La recette de Marmelade d'oranges II (voir recette, p. 119) illustre assez bien les étapes nécessaires dans la confection des marmelades.

Pour le détail complet de leur préparation, voir les étapes 1, 2, 3, 5, 8, 9 et 10 (aux p. 38 et suivantes).

LES COMPOTES, SAUCES ET BEURRES

Une compote est une préparation semi-liquide composée surtout de pulpe de fruits (rarement des peaux) et de sucre et qu'on a aromatisée d'épices et/ou d'alcool. On y emploie les fruits, 1) trop gros (par rapport à la taille normale du fruit) ; 2) trop mûrs ; 3) partiellement avariés et dont on a enlevé les parties meurtries (mais non les parties vertes qui sont idéales dans les gelées et confitures) et qui ont ainsi perdu leur forme ; 4) en surplus (au cœur de la saison de ce fruit) et dont on peut craindre qu'ils se perdent. Les compotes se conservent très mal, même au réfrigérateur. Certaines peuvent être congelées telles quelles. Les compotes fines constituent d'excellents desserts.

Une sauce aux fruits est une préparation généralement claire et composée de fruits frais cuits puis réduits en purée, sucrés et aromatisés d'épices et/ou d'un alcool. Les sauces aux fruits accompagnent certaines viandes grasses et de nombreux desserts.

Un beurre de fruits est une sorte de compote très épaisse se conservant par addition de mélasse noire ou de sucre brun et une longue cuisson.

VALEUR ALIMENTAIRE
DES FRUITS MIS EN
CONSERVE, CONFITS ET CONGELÉS

Tout comme «les vitamines synthétiques ne sauraient remplacer un manque de vitamines naturelles, […] les aliments trop cuits, stérilisés et, d'une façon générale, appauvris en vitamines, à fortiori ceux qui en sont totalement dépourvus, se comportent, selon certains auteurs, comme des "anti-vitamines" qu'un apport supplémentaire de vitamines ne suffit pas toujours à neutraliser. On le comprend sans peine si l'on veut bien se rappeler que les aliments, pour être parfaitement assimilés, doivent comporter l'ensemble équilibré dont les a doté la nature». (Extrait de: *Traitement des maladies par les légumes, les fruits et les céréales,* Jean Valnet, Maloine, 1972. C'est une œuvre que je recommande à quiconque désire faire une étude plus approfondie de la valeur nutritive et médicinale des produits).

Il faut inclure quotidiennement des fruits frais dans son alimentation.

Suggestions de combinaisons de fruits à confire

1 partie de pêches

3 parties d'oranges

1 partie de rhubarbe

Noix grossièrement
hachées ou moulues

~~~~~~

2 parties de poires

1 partie d'oranges

1 partie d'ananas

~~~~~~

1 partie de figues
(900 g ou 2 lb)

1 ½ partie de rhubarbe
(1,5 kg ou 3,5 lb)

1 citron et 1 orange

~~~~~~

1 partie de pêches

1 partie de prunes

Noix

1 partie d'ananas

1 partie de rhubarbe

2 parties de pêches

~~~~~~

1 partie de pêches

1 partie d'ananas

1 partie de raisins blancs

Noix hachées
grossièrement

~~~~~~

1 partie d'abricots

1 partie de pêches

Noix moulues

~~~~~~

1 partie de cantaloup

1 partie de pêches

Compotes
et sauces
aux fruits

COMPOTE D'ABRICOTS

12 gros abricots
500 ml (2 tasses) d'eau froide
225 g (1 tasse) de sucre
125 ml (½ tasse) de brandy

Peler les abricots, les couper en deux et jeter les noyaux. Faire bouillir à feu doux le sucre et l'eau froide pendant une dizaine de minutes. Écumer le sirop et y placer les fruits en remuant doucement et fréquemment. Quand le liquide a été absorbé par les fruits, retirer aussitôt du feu, ajouter le brandy, mettre la compote dans un plat de verre et la servir très froide.

COMPOTE DE CERISES

Cerises
Vin de Bordeaux rouge
Sucre et cannelle moulue au goût

Placer les cerises dans un chaudron de fonte émaillée et les couvrir de vin. Assaisonner de sucre et de cannelle puis amener très doucement le tout à ébullition. Dès que le mélange commence à bouillir, baisser le feu, couvrir le chaudron et laisser mijoter les cerises jusqu'à ce qu'elles soient tendres. Retirer les cerises du sirop, épaissir celui-ci puis y remettre les fruits. Servir très froid.

COMPOTE DE GROSEILLES À MAQUEREAU

1 litre/450 g (4 tasses/1 lb) de groseilles
préparées et blanchies 2 minutes en eau bouillante
225 g (1 tasse) de sucre
500 ml (2 tasses) d'eau
Kirsch (facultatif mais recommandé)

Placer le sucre et l'eau dans un chaudron et les faire bouillir à feu très doux pendant 10 minutes. Ajouter au sirop ainsi obtenu un petit verre de Kirsch et les groseilles préparées. Faire cuire les fruits jusqu'à ce qu'ils soient tendres puis les retirer du sirop. Épaissir le sirop et en couvrir les fruits disposés dans un plat de verre. Servir très froid.

COMPOTE DE PRUNES

Prunes
100 g (½ tasse environ) de sucre
500 ml (2 tasses) d'eau

Préparer un sirop avec le sucre et l'eau et une fois le sirop à ébullition y jeter les prunes préparées. Cuire les prunes jusqu'à ce qu'elles soient tendres. Retirer les prunes du sirop et les disposer dans un plat de verre. Épaissir le sirop et en couvrir les fruits. Servir cette compote très froide.

COMPOTE DE POMMES

Pommes
Sucre
Épice moulue (cannelle, muscade ou gingembre)

Couper les pommes sans en enlever la pelure, la queue et les pépins et les jeter à mesure dans un chaudron partiellement rempli d'eau. Remplir le chaudron de pommes et les couvrir d'eau. Amener à ébullition puis laisser mijoter le tout pendant 30 minutes. Passer alors les pommes dans le «chinois», remettre la purée obtenue dans le chaudron. Sucrer et épicer au goût puis faire cuire pendant quelques minutes additionnelles. Empoter chaud dans les pots stérilisés chauds et sceller aussitôt. Cette compote peut aussi être congelée telle quelle dans des sacs de plastique.

COMPOTE DE RHUBARBE

Autant de sucre que d'eau
Rhubarbe coupée en morceaux de 2,5 à 5 cm (1 à 2 po)
1 citron (jus et zeste)

Préparer un sirop avec le sucre et l'eau, l'amener à ébullition et incorporer la rhubarbe préparée. Ajouter le jus de citron et un morceau du zeste. Cuire à feu doux puis quand la rhubarbe est tendre, retirer le zeste du mélange et empoter chaud. Cette compote se congèle très bien telle quelle.

SAUCE AUX ABRICOTS

12 abricots frais et mûrs
1 verre de vin de Madère
Sucre Demerara (ou de la cassonade)

Couper les abricots en deux, en retirer les noyaux, casser ceux-ci pour en extraire les amandes puis les broyer au mortier et au pilon et les mettre avec les fruits dans une casserole. Amener les fruits à ébullition avec un peu d'eau (juste ce qu'il faut pour empêcher qu'ils ne collent). Quand les abricots sont tendres, ajouter le vin et du sucre au goût. Cuire la sauce en remuant constamment jusqu'à ce qu'elle prenne la consistance d'un sirop. Passer le tout dans un tamis en versant la sauce directement dans un plat de service chaud. Servir aussitôt.

SAUCE AUX CANNEBERGES

500 ml (2 tasses) de canneberges bien mûres
225 g (1 tasse) de sucre
250 ml (1 tasse) d'eau

Laver les fruits et les mettre dans le chaudron émaillé avec l'eau. Couvrir et mijoter jusqu'à ce que les fruits soient tous éclatés. Incorporer le sucre aux fruits et mijoter à découvert pendant 20 minutes sans brasser la sauce une seule fois. Cette sauce se sert avec divers gibiers et volailles.

SAUCE AUX FRAMBOISES

500 ml (2 tasses) de jus de framboise
Sucre en poudre
Citron (jus)
1 c. à soupe de fécule de maïs ou, encore mieux,
de farine d'arrow-root

Exprimer à froid le jus des framboises puis amener celui-ci à ébullition et y incorporer du sucre en poudre au goût. Mettre un peu de jus de citron dans la sauce puis retirer du feu. Passer la sauce au tamis puis verser dans un plat à mélanger en incorporant 1 c. à soupe de fécule ou, mieux, de farine d'arrow-root. Remettre la sauce sur le feu puis l'amener doucement à ébullition en la remuant constamment. Servir chaud sur de la crème glacée, des gaufres, etc.

SAUCE AUX GROSEILLES À MAQUEREAU

500 ml (2 tasses) de groseilles à maquereau
1 petit verre d'eau
30 g (2 c. à soupe) de beurre
2 c. à soupe de sucre
Sel et poivre
Muscade moulue
Oseille fraîche (si disponible)

Après les avoir préparés, cuire les fruits dans l'eau jusqu'à ce qu'ils soient tendres. Passer au « chinois » puis ajouter à la pulpe obtenue le beurre, le sucre, le sel et le poivre (au goût), une pincée de muscade et, si disponible, un peu d'oseille finement hachée et précuite. Chauffer la sauce en remuant constamment et servir aussitôt. Se sert avec du maquereau bouilli.

SAUCE À LA MARMELADE

225 ml (1 petite tasse) de marmelade
2 verres à vin de vin blanc

Placer la marmelade et le vin dans une casserole et mijoter jusqu'à ce que la sauce soit très chaude. Inutile de dire qu'il faut constamment remuer la sauce durant toute la cuisson. Cette sauce anglaise réputée est délicieuse avec des gaufres, des crêpes ou du gâteau-éponge.

SAUCE À L'ORANGE

1 ½ c. à soupe de sucre
3 c. à soupe de gelée de groseilles
1 orange (zeste râpé)
1 c. à soupe de jus d'orange
1 c. à soupe de jus de citron
Sel et poivre de Cayenne au goût

Dans un plat, bien mélanger le sucre, la gelée de groseilles et le zeste d'orange. Incorporer ensuite le reste des ingrédients en brassant bien le tout. On peut, si on le désire, ajouter 1 c. à soupe de porto à la sauce. Cette sauce froide accompagne à merveille les volailles ou le gibier à plumes.

Confitures

CONFITURE D'ABRICOTS FRAIS

Abricots préparés
Même poids de sucre

Couper et dénoyauter les abricots et les peser. Placer dans un chaudron en alternance avec des rangs de sucre. Amener le tout à ébullition et faire mijoter pendant une heure environ en remuant le moins possible de manière à ne pas briser les fruits. Écumer la confiture et, si désiré, y incorporer les amandes blanchies (en eau bouillante) des noyaux d'abricots.

CONFITURE D'ANANAS ET DE FRAISES

450 g (1 lb) de chair d'ananas
450 g (1 lb) de fraises
450 g (2 tasses) de sucre
500 ml (2 tasses) d'eau

Préparer un sirop avec l'eau et le sucre, y jeter les morceaux d'ananas et les cuire jusqu'à ce qu'ils soient transparents. Ajouter les fraises au sirop et cuire pendant 20 à 30 minutes ou jusqu'à la consistance désirée. Empoter chaud et sceller aussitôt.

CONFITURE D'ANGÉLIQUE

Tiges d'angélique fraîches
Sucre (poids égal à celui des tiges)
Eau (quantité égale à celle du sucre)

Couper les tiges d'angélique en morceaux de 4 cm (1 ½ po) puis les jeter dans de l'eau bouillante et cuire pendant une demi-heure. Les égoutter (en jetant l'eau de cuisson) puis enlever les parties filamenteuses des tiges. Mettre de nouveau dans l'eau bouillante et cuire jusqu'à ce qu'elles soient tendres. À la fin de la cuisson, ajouter une poignée de sel dans l'eau, ce qui fera reverdir les tiges devenues blanches. Égoutter à fond et peser les tiges puis mesurer le même poids de sucre. Préparer un sirop avec ce sucre et une quantité égale d'eau et y faire bouillir les tiges pendant une demi-heure. Mettre le tout dans une assiette et laisser reposer. Le lendemain, séparer le sirop des tiges et le faire bouillir pendant 5 minutes puis le verser bouillant sur les tiges. Répéter l'opération deux ou trois jours d'affilée. Sécher enfin au four à 93 °C (200 °F) les tiges d'angélique enrobées de sucre. Les conserver dans des boîtes de fer-blanc.

CONFITURE
DE BAIES D'ÉGLANTIER

Baies d'églantier
Même poids de sucre
1 citron (jus)

Récolter les baies d'églantier après deux ou trois bonnes gelées d'automne (celles-ci rendent les fruits pulpeux). Couper les fruits en deux et en vider l'intérieur (graines et poils) avec la pointe d'un couteau (voir notes ci-dessous). Faire macérer la pulpe obtenue dans le même poids de sucre pendant un minimum de 12 heures. Cuire ensuite à feu très doux jusqu'à épaississement de la confiture (en ajoutant un peu d'eau au besoin). Une minute avant la fin de la cuisson, incorporer le jus d'un citron au mélange. Laisser refroidir la confiture dans les pots stérilisés avant de paraffiner ceux-ci.

Notes : cette confiture est longue à préparer mais elle en vaut la peine car elle est très riche en vitamine C. Au cours de la préparation, conserver les semences et les faire sécher. Celles-ci sont sédatives et sont excellentes contre l'insomnie et la nervosité ; elles s'emploient à raison de 1 c. à thé (à café) de semences par tasse d'eau (infusées pendant 10 minutes). Par ailleurs, il faut faire attention aux poils intérieurs des fruits qui sont, en fait, du « poil à gratter » qui peut être très irritant pour la peau. Voir aussi Gelée de Cynorrhodons, p. 94.

CONFITURE DE BLEUETS (MYRTILLES)

450 g (1 lb) de bleuets
450 g (2 tasses) de sucre
1 citron (jus)

Faire chauffer les bleuets jusqu'à ce qu'ils commencent à rendre leur jus. Ajouter alors le sucre petit à petit et cuire le tout jusqu'à consistance désirée. Cinq minutes avant la fin de la cuisson, incorporer le jus de citron à la confiture. Verser la confiture dans les pots stérilisés chauds et laisser refroidir. Paraffiner et sceller.

CONFITURE DE BLEUETS (MYRTILLES) ET DE RHUBARBE

2 litres (8 tasses) de bleuets
1 litre (4 tasses) de rhubarbe coupée en morceaux de
2,5 cm (1 po)
125 ml (½ tasse) d'eau
900 g (4 tasses) de sucre

Mélanger dans un chaudron les bleuets et la rhubarbe préparés et ajouter l'eau. Mijoter le tout pendant 10 minutes, à découvert. Incorporer ensuite le sucre aux fruits et cuire 10 minutes additionnelles ou jusqu'à la consistance désirée. Empoter aussitôt la confiture dans les bocaux stérilisés chauds. Laisser refroidir avant de paraffiner et de sceller.

CONFITURE DE CANNEBERGES

2 litres (8 tasses) de canneberges
150 g (1 tasse) de raisins secs
2 oranges (jus et zestes râpés)
2 citrons (jus et zestes râpés)
2 kg (6 tasses) de sucre

Mélanger tous les ingrédients et les cuire jusqu'à ce que la confiture soit très épaisse et claire. Verser la confiture dans les pots stérilisés et sceller aussitôt ceux-ci. Cette confiture accompagne très bien le gibier ou la volaille.

CONFITURE DE CASSIS

1 kg (2 lb) de cassis préparé
1,5 kg (3 tasses) de sucre
500 ml (2 tasses) d'eau

Préparer un sirop avec le sucre et l'eau et quand celui-ci bout à gros bouillons, l'écumer puis y jeter le cassis. Cuire le tout à feu doux pendant 20 à 30 minutes. Écumer de nouveau et verser la confiture dans les pots stérilisés et chauds. Laisser refroidir les pots avant de paraffiner et de sceller.

Note : cette confiture accompagne à merveille le canard sauvage.

CONFITURE DE CERISES

2,5 kg (5 lb) de cerises
2 litres (8 tasses) d'eau
3 kg (6 lb) de sucre

Mettre l'eau et les cerises dans un chaudron, amener à ébullition puis cuire à feu doux pendant 20 minutes. Ajouter alors le sucre puis faire bouillir le tout à feu vif pendant quelques minutes. Laisser refroidir la confiture puis emplir les bocaux stérilisés et après en avoir partiellement vissé les couvercles, stériliser les pots dans l'eau bouillante pendant 16 minutes. Sceller aussitôt.

CONFITURE DE CERISES AIGRELETTES

3 litres (12 tasses) de cerises dénoyautées
1 litre (4 tasses) de mûres de ronces
600 g (2 ⅔ tasses) de sucre

Mélanger tous les ingrédients et cuire jusqu'à consistance de confiture. Verser dans les pots stérilisés et chauds, et sceller aussitôt.

CONFITURE DE CERISES AU MIEL

450 g (1 lb) de cerises très mûres (avec les noyaux)
225 g (½ lb) de miel
Cannelle moulue au goût

Mettre tous les ingrédients dans un chaudron et porter à ébullition. Écumer la confiture et laisser mijoter doucement pendant 20 minutes. Retirer alors du feu et laisser refroidir avant de verser dans les pots stérilisés. Paraffiner et conserver au frais.

CONFITURE DE CERISES DE TERRE

450 g (1 lb) de cerises de terre nettoyées
500 g (2 ¼ tasses) de sucre
1 citron (jus)

Placer les cerises de terre nettoyées dans un chaudron et les faire fondre à feu doux (en ajoutant un tout petit peu d'eau au besoin). Briser les fruits avec la cuillère de bois puis incorporer le sucre aux fruits petit à petit en brassant constamment. Cuire le tout à feu doux pendant 20 à 30 minutes et 5 minutes avant la fin de la cuisson, y incorporer le jus de citron. Mettre aussitôt dans les pots stérilisés chauds et laisser refroidir avant de paraffiner et de sceller.

CONFITURE DE CITRONS

4 citrons
4 œufs
110 g (½ tasse) de beurre
850 g (3 ¾ tasses) de sucre

Extraire le jus des citrons et râper les zestes. Battre les œufs, leur incorporer le sucre, le zeste râpé, le jus de citron et le beurre défait en crème. Faire prendre le tout au bain-marie et quand le mélange est lisse et souple, le passer. Verser ensuite la confiture dans les pots et la laisser refroidir au réfrigérateur. Cette confiture se sert avec des biscuits et du thé.

Note : cette confiture ne se conserve pas.

CONFITURE DE CITROUILLE

1 citrouille de 3,5 kg (8 lb)
2,5 kg (10 tasses) de sucre
3 citrons (jus et zestes râpés)
Gingembre et/ou muscade au goût

Peler puis couper la citrouille en plusieurs quartiers, en gardant les graines qui, débarrassées des filaments, seront frites dans l'huile et le sel au four. Trancher la citrouille en assez gros morceaux puis la couvrir du sucre et la laisser dégorger pendant 12 heures au moins. Faire mijoter le tout pendant 2 heures, jusqu'à transparence des morceaux. Retirer la citrouille du sirop avec une écumoire puis la passer au « chinois » et remettre la purée obtenue dans le sirop. Bien mélanger le tout, et quand le mélange recommence à bouillir, incorporer le zeste râpé et le jus des citrons. Parfumer de gingembre et/ou de muscade. Mettre ensuite dans les pots stérilisés et sceller aussitôt.

Note : si l'on désire une confiture plus consistante, ne pas mettre les morceaux de citrouille en purée ; il faut alors les couper plus petits.

CONFITURE D'ÉPINE-VINETTE

1,5 kg (3 lb) de fruits d'épine-vinette
2 tasses (500 ml) d'eau
900 g (4 tasses) de sucre en poudre

Préparer les fruits, les placer dans un chaudron à confire (pouvant aller au four) et ajouter l'eau. Mettre au four et cuire à feu doux jusqu'à ce qu'ils soient tendres. Presser puis filtrer dans un sac de mousseline (de plusieurs épaisseurs). Mesurer la pulpe obtenue et ajouter la même quantité de sucre en poudre. Bien mélanger la pulpe et le sucre puis cuire le tout pendant 15 minutes environ. Empoter et laisser refroidir la confiture avant de paraffiner et de sceller.

Note : cette gelée accompagne à merveille la venaison.

CONFITURE DE FIGUES SÈCHES

450 g (1 lb) de figues sèches
1,1 kg (5 tasses) de sucre
900 g (2 lb) de pommes
125 ml (½ tasse) d'eau
1 ½ citron (jus et zeste)
½ c. à thé (à café) de piment de la Jamaïque
(ou d'une autre épice au goût)

Couper les figues en quatre avec un couteau préalablement trempé dans l'eau chaude. Peler et râper les pommes. Mettre les fruits dans le chaudron à confire puis ajouter l'eau, le jus de citron, un peu du zeste râpé et les épices. Cuire à feu très doux en remuant souvent le mélange jusqu'à ce que le tout soit brillant. Ajouter alors le sucre au mélange et brasser jusqu'à ce que le sucre soit fondu. Cuire 5 minutes de plus puis mettre la confiture dans les bocaux stérilisés et chauds. Sceller aussitôt.

CONFITURE DE FRAISES CULTIVÉES I

1,5 kg (3 lb environ)
1 kg (4 tasses) de sucre
1 citron (jus)

Choisir des fraises ni trop grosses ni trop mûres et les mettre dans le chaudron à confire. Peser et chauffer le sucre au four (dans un plat absolument sec sinon le sucre tournera vite en tire) à 70 °C (160 °F). Sans ajouter d'eau et en les brassant constamment à la cuillère de bois, amener les fraises à ébullition. Incorporer alors le sucre petit à petit de manière à ne pas interrompre l'ébullition. Une à deux minutes avant la fin de la cuisson, incorporer le jus de citron aux fruits et verser la confiture dans les pots stérilisés. Laisser refroidir complètement avant de paraffiner et de fermer les pots.

CONFITURE DE FRAISES CULTIVÉES II

Même poids de fraises que de sucre

Trop souvent, les fraises cuites flottent dans leur jus surtout quand elles sont grosses et très mûres. Voici une recette infaillible pour obtenir une confiture épaisse :

1er jour : couvrir les fraises de sucre et les laisser reposer ainsi pendant 24 heures.

2e jour : faire bouillir le tout pendant exactement 5 minutes à partir du point d'ébullition ; retirer le chaudron du feu et laisser refroidir.

3e jour : faire bouillir de nouveau le mélange pendant 6 minutes exactement.

4e jour : répéter l'opération, en comptant 7 minutes de cuisson. Puis, après avoir laissé reposer la confiture pendant la nuit, l'empoter, la paraffiner et la conserver au frais.

CONFITURE DE FRAISES CULTIVÉES III

1 litre (4 tasses) de fraises
1 kg (4 tasses) de sucre
2 oranges (zestes et pulpes émincés)
1 citron (jus et zeste émincé à part)
225 g (1 ½ tasse) de raisins secs
225 g (½ lb) de noix de Grenoble hachées

Mélanger les ingrédients sauf les noix et le jus de citron. Cuire pendant 20 minutes et 4 à 5 minutes avant la fin de la cuisson, incorporer le jus de citron au mélange. Retirer le chaudron du feu et ajouter les noix hachées. Mettre la confiture dans les pots stérilisés et laisser refroidir avant de paraffiner et de sceller.

CONFITURE DE FRAISES SAUVAGES

450 g (1 lb) de fraises sauvages
350 g (1 ½ tasse) de sucre
1 citron (jus)

Faire alterner des rangs de sucre et de fruits dans un chaudron à confire et laisser reposer toute la nuit. Le lendemain matin, amener la confiture à ébullition et cuire à feu assez vif pendant 7 minutes. Incorporer le jus de citron, ramener le tout à ébullition et cuire à feu rapide pendant 1 minute exactement. Laisser refroidir la confiture avant de l'empoter et paraffiner.

Notes : ne jamais laver les fraises sauvages. Pour s'assurer de bons résultats, ne jamais cuire plus de 900 g (2 lb) de fraises à la fois. Cette recette donne l'une des meilleures – sinon la meilleure – confitures.

CONFITURE DE FRAISES SAUVAGES ET DE RHUBARBE

Procéder comme pour la confiture de fraises sauvages en ajoutant :

450 g (1 lb) de rhubarbe coupée en petits morceaux
350 g (1 ½ tasse) de sucre
1 citron (jus)

Le mélange de ces deux ingrédients (j'allais écrire fruits en oubliant que la rhubarbe n'est pas un fruit…) est extraordinaire, surtout si l'on emploie des fraises sauvages.

CONFITURE DE FRAMBOISES

450 g (1 lb) de framboises
350 g (1 ½ tasse) de sucre
1 citron (jus)

Procéder exactement comme pour la confiture de fraises sauvages.

CONFITURE DE FRAMBOISES ET DE GROSEILLES ROUGES

900 g (2 lb) de framboises
450 g (1 lb) de groseilles rouges
900 g (4 tasses) de sucre
½ c. à thé (à café) de baies de genièvre
2 grains de poivre

Couvrir les fruits préparés avec le sucre et les épices. Laisser reposer le tout pendant 12 heures puis porter à ébullition. Laisser mijoter entre 10 et 12 minutes. Laisser refroidir la confiture avant de la mettre dans les pots stérilisés. Paraffiner et conserver les pots au frais.

CONFITURE DE GINGEMBRE
(Gingembre confit)

450 g (1 lb) de racines de gingembre frais
450 g (2 tasses) de sucre
250 ml (1 tasse) d'eau

Peler les racines et les couper en morceaux d'une bouchée. Les faire tremper une demi-heure en eau glacée (les y jeter à mesure qu'on les coupe).

Égoutter à fond le gingembre, le mettre dans le chaudron à confire et le couvrir d'eau. Le faire bouillir pendant 5 minutes. Égoutter (en jetant l'eau). Répéter l'opération de 2 à 5 fois selon qu'on désire un gingembre fort ou doux.

Préparer un sirop avec l'eau et le sucre puis le verser bouillant sur le gingembre placé dans le chaudron. Placer une assiette sur le gingembre de manière qu'il s'imbibe complètement de sirop. Laisser reposer pendant 12 heures.

Retirer le gingembre du sirop et le faire bouillir pendant 10 minutes. Le verser sur le gingembre et laisser reposer le tout pendant 2 jours.

Au bout de ce temps, cuire le sirop et le gingembre pendant 5 minutes. Laisser reposer de nouveau pendant 2 à 3 jours. Les racines doivent être alors tendres, gonflées et transparentes. Sinon, les cuire de 5 à 8 minutes de plus. Mettre la confiture dans les pots stérilisés et sceller.

CONFITURE DE MARRONS

1 quantité de marrons
1 quantité de miel (égale en poids)
Par 450 g (1 lb) de pulpe de marrons :
3 c. à soupe d'eau de fleur d'oranger
¼ de c. à thé (à café) de vanille

Blanchir, éplucher et cuire une grande quantité de marrons jusqu'à ce qu'ils soient tendres. Égoutter à fond, hacher ou passer au « chinois » puis ajouter le miel, l'eau de fleur d'oranger et la vanille, et cuire à feu doux jusqu'à consistance épaisse en brassant très souvent. Mettre la confiture en pots, chasser les bulles d'air qui peuvent se former le long des parois. Sceller les pots. Ne pas abuser de cette confiture qui est assez difficile à digérer.

CONFITURE DE MORELLES NOIRES

450 g (1 lb) de morelles noires
350 g (1 ½ tasse) de sucre
1 citron (jus)

Nettoyer les fruits et en enlever les vestiges des pédoncules (ne jamais oublier que les morelles vertes sont
vénéneuses). Attendrir les fruits dans un tout petit peu
d'eau, à feu doux, puis les écraser un peu avec un pilon
à pommes de terre. Incorporer alors le sucre, petit à
petit, aux fruits. Cuire le temps requis à l'épaississement de la confiture et, une minute avant la fin de la
cuisson, incorporer le jus de citron. Verser la confiture
dans les pots stérilisés et les sceller aussitôt.

CONFITURE DE PÊCHES ET D'ANANAS

625 ml (2 ½ tasses) de pêches préparées
et coupées en morceaux
250 ml (1 tasse) d'ananas en conserve
450 g (2 tasses) de sucre
1 orange (jus et zeste râpé)

Mélanger les fruits et le sucre dans le chaudron à confire
et ajouter le jus et le zeste d'orange râpé de même que
le jus d'ananas. Mijoter le tout jusqu'à transparence de
la confiture. Verser la confiture dans les pots et laisser
refroidir avant de paraffiner et de sceller.

CONFITURE DE PELURES DE MELON D'EAU (PASTÈQUE)

3 kg (6 lb) de pelures de melon d'eau
30 g (1 oz) d'alun dilué dans 4 litres (16 tasses) d'eau
2 kg (8 tasses) de sucre
500 ml (2 tasses) d'eau
6 citrons
60 g (2 oz) de gingembre finement tranché

Peler l'écorce d'un melon coupé en quartiers. Puis couper en morceaux assez gros et faire tremper ceux-ci dans la solution d'eau et d'alun pendant la nuit.

Le lendemain, égoutter et bien rincer les pelures de melon. Dans un chaudron à part, faire un sirop avec le sucre et l'eau. Placer les pelures macérées dans le chaudron à confire et jeter par-dessus les citrons émincés et le gingembre. Ébouillanter les fruits avec le sirop puis faire cuire le tout jusqu'à ce que les pelures soient transparentes. Retirer les pelures du sirop et quand il est assez épais, y remettre le melon pendant quelques minutes. Mettre ensuite la confiture dans les bocaux stérilisés chauds et les sceller aussitôt.

CONFITURE DE PÉTALES DE ROSE

500 ml (2 tasses) de pétales de rose hachés
250 ml (1 tasse) de miel
Eau
1 citron (jus)

Ramasser plusieurs litres de pétales de rose et hacher assez finement. Puis, en comptant 1 partie de miel et 1 partie d'eau pour 2 parties de pétales (en volume), faire mijoter doucement le tout pendant 30 minutes environ. Incorporer le jus du citron au mélange quelques minutes avant la fin de la cuisson.

Note : en Grèce, on donne cette confiture en présent aux nouveaux amants.

CONFITURE DE POIRES DURES
(recette réputée aphrodisiaque)

450 g (1 lb) de petites poires très dures
225 g (½ lb) de miel
Muscade moulue au goût

Blanchir et peler les poires, puis en enlever les parties dures. Porter à ébullition les poires, le miel et la muscade et les laisser mijoter pendant 20 minutes. Retirer la confiture du feu et la laisser refroidir complètement avant de la mettre dans les pots stérilisés. Paraffiner et conserver au frais.

CONFITURE DE PRUNEAUX ET DE MARRONS

225 g (½ lb) de pruneaux
2 tasses (500 ml) d'eau froide
450 g (1 lb) de marrons
225 g (1 tasse) de sucre
40 g (¼ de tasse) de raisins secs
1 c. à soupe de vinaigre
Quelques grains de sel

Rincer les pruneaux à l'eau et les faire tremper dans l'eau froide pendant la nuit. Le lendemain, cuire les pruneaux dans l'eau de trempage jusqu'à ce qu'ils soient tendres. Les laisser refroidir avant d'en retirer les noyaux. Cuire ensuite les marrons dans de l'eau bouillante puis, après les avoir laissés refroidir un peu, en enlever les écales et la première peau intérieure. Ajouter les marrons aux pruneaux avec le reste des ingrédients et cuire le tout jusqu'à épaississement. Mettre dans les pots stérilisés chauds et, avec un couteau stérilisé, chasser les bulles d'air qui peuvent se former le long des parois. Sceller aussitôt. Cette confiture accompagne à merveille le jambon ou le poulet.

CONFITURE DE PRUNES SAUVAGES

1,5 kg (3 lb) de prunes sauvages (chair)
900 g (4 tasses) de sucre
250 ml (1 tasse) d'eau
1 pincée de gingembre
2 citrons (jus)

Préparer les prunes, les peser, puis couvrir avec le sucre. Laisser reposer pendant la nuit, puis ajouter l'eau et amener à ébullition en brassant fréquemment. Cuire ainsi pendant 30 minutes en rajoutant un peu d'eau au besoin. Passer alors le mélange au « chinois » puis remettre la purée obtenue dans le chaudron. L'assaisonner avec le gingembre. Ramener le tout à ébullition et verser aussitôt le jus de citron. Cuire pendant 1 à 2 minutes et verser la confiture dans les pots stérilisés. Laisser refroidir les pots avant de les paraffiner et de les sceller.

CONFITURE DE RAISINS

1 litre (4 tasses) de raisins
2 oranges
150 g (1 tasse) de raisins secs
600 g (2 ⅔ tasses) de sucre
100 g (1 tasse) de noix de Grenoble moulues

Laver et égrapper les raisins et en enlever les noyaux. Trancher finement les oranges et les ajouter aux raisins. Incorporer ensuite les raisins secs et le sucre aux fruits, et cuire le tout jusqu'à ce que la confiture soit transparente et épaisse. Incorporer les noix moulues puis empoter la confiture dans les pots stérilisés chauds et sceller aussitôt.

CONFITURE DE RHUBARBE

2 kg (4 lb) de rhubarbe
Eau
2 citrons
2,25 kg (9 tasses) de sucre
450 g (1 lb) de pacanes ou des amandes, des noisettes
ou des noix de Grenoble moulues

Couper la rhubarbe nettoyée en morceaux assez petits et la mettre dans le chaudron à confire. Couvrir d'eau et commencer la cuisson à feu doux. Émincer les citrons et les incorporer à la rhubarbe. Incorporer ensuite le sucre et les noix moulues au mélange, et cuire jusqu'à épaississement. Verser la confiture dans les pots stérilisés chauds et sceller aussitôt.

CONFITURE DE RHUBARBE ET DE RAISINS SECS

2 à 2,25 kg (4 à 5 lb) de rhubarbe non pelée
2,25 kg (10 tasses) de sucre
450 g (3 tasses) de raisins secs
2 citrons (jus et zestes râpés)

Préparer la rhubarbe, la couper en morceaux, la mettre dans le chaudron à confire et couvrir d'eau. Bouillir doucement et quand la rhubarbe est tendre, ajouter les autres ingrédients et cuire le tout jusqu'à épaississement. Verser aussitôt la confiture dans les pots stérilisés chauds et sceller.

CONFITURE DE SUREAU

Procéder exactement comme pour la Confiture de fraises sauvages (voir p. 79), en rajoutant, au goût, une pincée de cannelle, de muscade ou de gingembre sauvage. Pour notes supplémentaires sur ce fruit merveilleux qu'est le sureau, voir p. 32.

CONFITURE DE TOMATES JAUNES

900 g (2 lb) de tomates jaunes
900 g (4 tasses) de sucre
2 citrons (zestes et jus)

Blanchir les tomates pendant 2 minutes puis les jeter aussitôt en eau froide. Égoutter les tomates, les trancher en deux et les placer dans le chaudron à confire en alternant les rangs de fruits et de sucre. Émincer les zestes de citron et les ajouter au mélange. Mijoter à feu très doux pendant 2 à 3 heures, en brassant fréquemment la confiture. Cinq minutes avant la fin de la cuisson, incorporer le jus de citron aux tomates. Verser la confiture dans les pots stérilisés chauds et sceller, ou, si l'on préfère une confiture claire, passer au « chinois », et remettre le tout à bouillir un peu et empoter.

Gelées

GELÉE AUX ÉPICES

2 kg (4 lb) de pommes très acides
Vinaigre
2 c. à soupe de clous de girofle entiers
2 c. à soupe de cannelle en morceaux
Sucre (autant de sucre que de jus de pomme obtenu)

Couper les pommes en huit, sans enlever la pelure, la queue et les pépins. Couvrir moitié d'eau et moitié de vinaigre, mettre les épices dans un sac de mousseline et les faire bouillir à l'étuvée avec les pommes pendant 30 minutes environ. Placer le tout dans un sac à gelée et laisser égoutter pendant la nuit.

Le lendemain, retirer le sac d'épices des pommes, mesurer le jus obtenu et compter (en volume) autant de sucre. Amener le jus à ébullition après y avoir remis le sac d'épices nettoyé, incorporer le sucre petit à petit et cuire jusqu'à consistance de gelée. Retirer aussitôt le sac d'épices du chaudron, verser la gelée dans les pots stérilisés chauds. Laisser refroidir la gelée avant de paraffiner et de sceller.

GELÉE DE CANNEBERGES

1 litre (4 tasses) de canneberges (airelle rouge)
250 ml (1 tasse) d'eau
400 g (1 ¾ tasse) de sucre

Porter l'eau à ébullition et y jeter les fruits. Couvrir le chaudron et cuire à feu doux jusqu'à l'éclatement des baies (15 à 20 minutes). Ajouter le sucre et cuire 5 à 10 minutes de plus, sans remuer. Verser dans des pots de grès ou de verre, paraffiner et sceller.

GELÉE DE COINGS

Coings
Eau
Sucre

Couper les coings en petits morceaux, les placer dans le chaudron à confire et les recouvrir d'eau. Couvrir et cuire 30 minutes. Verser ensuite le tout dans un sac à gelée, sans presser celui-ci à aucun moment. Laisser s'égoutter le sac pendant la nuit.

Le lendemain, mesurer le jus et compter, en volume, autant de sucre. Amener le jus à ébullition et y incorporer le sucre petit à petit, en brassant continuellement. Quand le sucre est dissous, cesser de brasser et cuire à feu assez vif jusqu'à l'obtention d'une consistance de gelée. Verser aussitôt la gelée dans les pots stérilisés chauds. Laisser refroidir avant de paraffiner et de sceller.

GELÉE DE CYNORRHODONS

750 ml (3 tasses) de baies d'églantier
250 ml (1 tasse) de pommes
Même poids de sucre que de jus obtenu

Nettoyer les fruits et les placer dans le chaudron avec les pommes complètes coupées en petits morceaux. Couvrir les fruits d'eau à égalité, et cuire le tout pendant une demi-heure. Filtrer et recueillir le jus, puis écraser les fruits au pilon et les remettre à cuire pendant une demi-heure avec la même quantité d'eau que précédemment. Remettre le premier jus avec les fruits et verser le tout dans un sac à gelée. Laisser égoutter le tout pendant au moins 12 heures. Peser alors le jus et mesurer la même quantité de sucre. Amener le jus à ébullition, cuire à feu vif pendant 5 minutes, puis incorporer le sucre petit à petit. Cuire jusqu'à consistance de gelée, c'est-à-dire jusqu'à ce qu'un peu de jus chaud placé sur une assiette glacée prenne instantanément la consistance d'une gelée.

GELÉE DE FRAMBOISES
ou autres fruits à petites semences

Procéder comme pour la Gelée de groseilles rouges (p. 96). Comme les framboises sont pauvres en pectine, on peut les allier à une partie de pommes très dures.

GELÉE DE GRENADES
(recette réputée aphrodisiaque)

12 grenades (les plus mûres possible)
Sucre
2 clous de girofle
Feuilles de menthe

Prendre des grenades très mûres, les éplucher, puis les défaire en grains sans laisser aucune cloison. Mettre dans un chaudron, faire fondre à feu doux avec un peu d'eau et passer le jus obtenu dans un linge fin. Remettre le jus sur le feu et le faire réduire un peu avec deux clous de girofle et quelques feuilles de menthe fraîche. Peser le jus obtenu et mesurer le même poids de sucre. Remettre le jus dans le chaudron, l'amener à forte ébullition puis y verser le sucre petit à petit. Laisser cuire jusqu'à ce qu'un peu de sirop se transforme en gelée dès que placé sur une assiette glacée. Verser aussitôt dans les pots stérilisés et laisser refroidir ceux-ci avant de les paraffiner et sceller.

Note : recette très élaborée qui demande beaucoup de temps. Les proportions indiquées ici donneront environ 750 ml (3 tasses) de gelée.

GELÉE DE GROSEILLES ROUGES I

Groseilles rouges
Sucre

Placer les fruits avec leurs tiges dans le chaudron à confire, couvrir à moitié d'eau et cuire à feu assez doux à l'étouffée. Quand ils sont tendres, placer les fruits dans le sac à gelée et laisser égoutter pendant la nuit.

Le lendemain, mesurer le jus obtenu et compter (en volume) autant de sucre. Amener le jus à ébullition puis incorporer le sucre et, en écumant souvent le mélange, cuire de 5 à 10 minutes ou jusqu'à consistance de gelée.

Note : cette gelée accompagne à merveille les cailles rôties et les autres volailles.

GELÉE DE GROSEILLES ROUGES II
(méthode ancienne)

Groseilles rouges
Sucre

Laver les fruits à l'eau courante et, sans les assécher, les placer dans un plat couvert pouvant aller au four. Régler le four à basse température et laisser les fruits exprimer leur jus. Verser alors les groseilles avec leur jus dans un sac à gelée et les laisser s'égoutter pendant 12 heures. Ne pas presser le sac. Mesurer ensuite le jus obtenu et compter 450 g (2 tasses) de sucre par 500 ml (2 tasses) de jus obtenu. Mettre le jus obtenu dans le chaudron à confire, y dissoudre le sucre et faire cuire à feu vif pendant 5 minutes ou jusqu'à consistance de gelée. Écumer la gelée à mesure et la verser aussitôt dans les pots stérilisés. Laisser refroidir avant de paraffiner et de sceller.

GELÉE DE GROSEILLES À MAQUEREAU

3 kg (6 lb) de groseilles vertes
1,5 litre (6 tasses) d'eau
450 g (2 tasses) de sucre par 500 ml (2 tasses) de jus

Laver les groseilles et en enlever les poils et les pédoncules. Cuire à l'étouffée dans l'eau jusqu'à ce qu'elles soient bien tendres. Passer au «chinois». Mesurer le jus et le sucre. Porter le jus à ébullition et y incorporer le sucre petit à petit en brassant jusqu'à ce que le sucre soit dissous. Bouillir à feu vif jusqu'à consistance de gelée. Écumer la gelée et la verser dans les pots stérilisés chauds. La laisser refroidir avant de paraffiner et de sceller.

GELÉE DE MENTHE
ou autres herbes fines

Pommes
Sucre
1 beau bouquet d'herbe fraîche

Procéder exactement comme pour la Gelée de pommes (p. 104) et, lorsque le sucre est dissous, ajouter un bouquet de menthe fraîche (10 à 15 tiges) au jus. On retire ce bouquet quand la gelée est faite. On peut ainsi préparer une gelée de sauge (pour accompagner le porc), de romarin (pour l'agneau), etc.

GELÉE DE MÛRES DE RONCES

Mûres
Même quantité de sucre que de jus de mûre

Placer les fruits dans un plat pouvant être mis au four. Les faire fondre à four modéré et les placer aussitôt dans un sac à gelée pour la nuit.

Le lendemain, amener le jus à ébullition et y incorporer le sucre petit à petit. Bouillir le tout jusqu'à l'obtention d'une consistance de gelée. Verser aussitôt dans les pots stérilisés et laisser refroidir avant de paraffiner et de sceller.

GELÉE DE NÈFLES

Nèfles
Sucre
Eau

Nettoyer les fruits bien mûrs et les mijoter dans l'eau. Compter 250 ml (1 tasse) d'eau par 450 g (1 lb) de nèfles. Laisser mijoter jusqu'à ce que la pulpe cale au fond de la marmite. Passer la purée dans un sac à gelée sans presser celui-ci. Mesurer le jus obtenu et pour chaque 500 ml (2 tasses) de celui-ci, compter 350 g (1 ½ tasse) de sucre. Amener le jus à ébullition et incorporer le sucre. Cuire le tout jusqu'à consistance de gelée.

GELÉE D'ORANGES

2 kg (4 lb) d'oranges de Séville (amères)
2 citrons
1,75 litre (9 tasses) d'eau froide
Même volume de sucre que de pulpe de fruits

Laver les agrumes, les essuyer puis en râper les zestes et les mettre de côté jusqu'au lendemain. Peler ensuite les fruits et en jeter les peaux intérieures. Trancher les fruits en petits morceaux avec un couteau inoxydable et placer la pulpe et l'eau froide dans le chaudron à confire. Amener à ébullition et mijoter pendant une demi-heure en brassant souvent le mélange. Placer le tout dans un sac à gelée et laisser s'égoutter toute la nuit.

Le lendemain, mesurer le liquide obtenu et ajouter la même quantité de sucre (en volume). Mettre le jus, le sucre et les zestes râpés la veille dans le chaudron et bouillir le tout jusqu'à l'obtention d'une consistance de gelée. Verser aussitôt dans les pots stérilisés chauds et sceller.

GELÉE DE PAMPLEMOUSSES

2 pamplemousses (pulpe seulement)
25 g (1 oz) de gélatine
Eau
1 c. à soupe de sherry
450 g (2 tasses) de sucre

Peler les pamplemousses et les couper en quartiers. En retirer la chair en jetant à mesure les parties blanches et les noyaux. Placer la pulpe dans un petit chaudron, y ajouter la gélatine (préalablement trempée en eau froide pendant 5 minutes) et couvrir le tout d'eau froide. Cuire la pulpe à feu doux jusqu'à ce qu'elle commence à réduire. Ajouter alors le sherry au mélange et passer celui-ci dans un tamis ou un sac à gelée. Quand tout le jus s'est égoutté, le remettre dans le chaudron à confire avec le sucre et cuire le tout à feu vif jusqu'à consistance de gelée. Laisser refroidir un peu avant de verser la gelée dans les pots stérilisés. Paraffiner et sceller.

GELÉE DE PÉTALES DE ROSE

2 litres (8 tasses) de pétales de rose
1 litre (4 tasses) d'eau bouillante
1 kg (4 tasses) de sucre
3 c. à soupe de jus de citron

Placer les pétales de rose dans un grand bol et couvrir d'eau bouillante. Laisser macérer pendant 20 minutes. Égoutter le tout puis mélanger le liquide obtenu avec le sucre et le jus de citron. Amener le tout à ébullition en brassant constamment puis bouillir à feu vif jusqu'à l'obtention d'une consistance de gelée. Écumer la gelée avant de la verser dans les bocaux chauds et stérilisés. Laisser refroidir et sceller.

GELÉE DE PIMBINAS (VIORNES)

Pimbinas (viornes)
Sucre
Jus de citron

Placer les fruits (qui doivent être cueillis après deux ou trois gelées automnales) dans le chaudron à confire et les faire fondre avec juste ce qu'il faut d'eau. Passer, puis filtrer la pulpe obtenue et la mesurer. Compter autant de sucre que de pulpe. Amener la pulpe à ébullition puis incorporer le sucre petit à petit. Amener à ébullition de nouveau et cuire le tout pendant 30 secondes à feu très vif. Écumer tout au long de la cuisson. Fermer le feu, incorporer le jus de citron et empoter la gelée bouillante. Sceller aussitôt les pots.

Note : les fruits dégagent une odeur désagréable en cuisant.

GELÉE DE POMMES

Pommes (les plus dures possible)
Sucre

Couper les pommes en quatre en conservant pelure, queues et pépins et les mettre dans le chaudron à confire, en comptant 250 ml (1 tasse) d'eau par 750 ml (3 tasses) de pommes coupées. Couvrir et cuire pendant 30 minutes puis mettre le tout dans un sac à gelée et laisser égoutter pendant la nuit.

Le lendemain, mesurer le jus obtenu et compter autant de sucre. Amener le jus à ébullition, le cuire pendant 5 minutes à feu vif et commencer à incorporer le sucre petit à petit, sans interrompre l'ébullition. Quand le sucre est entièrement dissous, porter le tout à feu vif et en écumant à mesure, cuire pendant 5 à 10 minutes ou jusqu'à consistance de gelée. Verser la gelée dans les pots stérilisés chauds et sceller aussitôt.

GELÉE DE POMMES ET DE PRUNES

Prunes
Pommes
Sucre

Couper les prunes en deux, les pommes en quatre (pelure et pépins inclus) et mettre les fruits dans le chaudron à confire. Les couvrir et cuire jusqu'à ce que le tout soit bien tendre. Mettre alors le tout dans un sac à gelée pour la nuit.

Le lendemain, mesurer le jus et compter autant de sucre (en volume). Amener le jus à ébullition et bouillir à feu assez vif pendant 5 à 10 minutes. Incorporer le sucre petit à petit et cuire jusqu'à consistance de gelée. Verser aussitôt dans les pots stérilisés et laisser refroidir avant de paraffiner et de sceller.

GELÉE DE POMMES ET DE PRUNES SAUVAGES

1,25 kg (3 lb environ) de prunes sauvages
2,25 kg (5 lb environ) de pommes
1,5 kg (6 tasses) de sucre

Placer les prunes coupées en morceaux et les pommes coupées en quatre dans le chaudron à confire. Cuire jusqu'à ce qu'elles soient tendres et placer le tout dans le sac à gelée. Le lendemain, amener le jus à ébullition, y dissoudre le sucre petit à petit. Cuire la préparation pendant 45 minutes ou jusqu'à consistance de gelée, en l'écumant à plusieurs reprises. Verser la gelée dans les pots stérilisés chauds et laisser refroidir avant de paraffiner et de sceller.

GELÉE DE POMMETTES (OU DE POMMES SAUVAGES)

3 kg (6 lb) de pommettes
2 citrons (jus)
Même volume de sucre que de jus obtenu

Laver les pommettes, les couper en quatre, les mettre dans le chaudron à confire. Les couvrir d'eau et les cuire à l'étouffée jusqu'à ce qu'elles soient bien tendres. Placer le tout dans un sac à gelée et laisser égoutter pendant la nuit.

Le lendemain, mesurer le jus obtenu et compter le sucre. Amener le jus à ébullition, y dissoudre le sucre petit à petit et cuire à feu vif pendant 45 minutes en brassant et écumant souvent le mélange. Quelques minutes avant que la gelée ne se soit formée, y incorporer le jus des citrons filtré. Verser la gelée dans les pots stérilisés et laisser refroidir avant de paraffiner et de sceller.

GELÉE DE PRUNES SAUVAGES

Prunes sauvages
Sucre

Couper les prunes en deux et les mettre avec leurs noyaux dans le chaudron à confire. Couvrir d'eau et cuire jusqu'à ce que les fruits soient bien tendres. Placer le tout dans un sac à gelée et laisser égoutter pendant la nuit.

Le lendemain, mesurer le jus obtenu et compter (en volume) autant de sucre que de jus. Amener le jus à ébullition, incorporer le sucre petit à petit et cuire le tout pendant 20 minutes. Verser la gelée dans les pots stérilisés chauds et laisser refroidir avant de paraffiner et de sceller.

GELÉE DE RAISINS BLEUS OU SAUVAGES
(RECETTE RAPIDE)

675 g (1 ½ lb) de raisins bleus ou sauvages
675 g (3 tasses) de sucre

Nettoyer et égoutter les raisins à fond et les placer en grappes dans une casserole assez profonde. Verser le sucre sur les raisins puis faire bouillir le tout pendant 25 minutes en brassant fréquemment. Verser le tout à travers un tamis dans des pots à gelée préalablement stérilisés et chauds. Procéder rapidement car la gelée épaissit instantanément. Laisser refroidir la gelée avant de la paraffiner et conserver au frais.

GELÉE DE RAISINS SAUVAGES

Raisins sauvages
Sucre
Pectine naturelle (voir recette, p. 145)

Laver les grappes à l'eau courante puis les débarrasser des raisins secs ou verts. Enlever les tiges et couvrir d'eau. Faire cuire à l'étouffée jusqu'à ce qu'elles soient tendres. Passer au « chinois » et mettre le jus de côté. Remettre la pulpe et les noyaux dans le chaudron, couvrir de quelques tasses d'eau et faire bouillir une dizaine de minutes. Passer de nouveau au « chinois ». Mettre les deux jus et ce qui reste de pulpe dans le sac à gelée et laisser égoutter toute la nuit.

Le lendemain, faire bouillir le jus pendant 20 minutes, et ajouter la même quantité de sucre que de jus, en l'incorporant petit à petit de manière à ne pas interrompre l'ébullition. Faire cuire 10 minutes à feu vif et écumer. Cuire sans brasser jusqu'à ce que la gelée se forme. Au besoin, rajouter de la pectine naturelle à raison de 1 tasse (250 ml) par 450 g (2 tasses) de sucre employé. Verser la gelée dans les pots stérilisés chauds et laisser refroidir un peu avant de paraffiner et de sceller.

GELÉE DE SORBES

3 kg (6 lb environ) de sorbes
1,5 litre (6 tasses) d'eau
1 citron (jus)
Sucre

Nettoyer les sorbes puis les mettre avec l'eau dans le chaudron à confire et cuire à l'étouffée jusqu'à ce qu'elles soient tendres. Égoutter dans un sac à gelée pendant la nuit.

Le lendemain, mesurer le jus obtenu en comptant 700 g (3 tasses) de sucre par 500 ml (2 tasses) de jus. Amener le jus à ébullition, l'écumer, y incorporer le sucre et le jus de citron et bouillir le tout pendant 30 minutes ou jusqu'à consistance de gelée. Verser aussitôt dans les pots stérilisés chauds et laisser refroidir un peu avant de paraffiner.

GELÉE DE SORBES
ET DE POMMES

1,25 kg (3 lb) de sorbes
3 kg (7 lb) de pommes
3,5 litres (14 tasses) d'eau
3 kg (7 lb) de sucre
2 citrons (jus)

Placer les sorbes préparées et les pommes coupées en quatre (pépins, queues et pelure compris) dans le chaudron à confire. Ajouter l'eau et cuire les fruits jusqu'à ce qu'ils soient tendres. Les passer dans un sac à gelée et laisser dégorger pendant la nuit.

Le lendemain, bouillir le jus obtenu pendant 20 minutes, l'écumer puis y incorporer le sucre en brassant jusqu'à ce qu'il soit bien dissous. Ajouter le jus des citrons et cuire pendant 10 minutes ou jusqu'à consistance de gelée. Verser aussitôt dans les pots stérilisés chauds et laisser refroidir un peu avant de paraffiner et de sceller.

Marmelades

MARMELADE AMBRÉE

1 pamplemousse
1 citron
1 orange
Eau très froide
Sucre

1er jour : émincer les agrumes en jetant à mesure les noyaux et les parties blanches. Les mettre dans un plat de verre et les couvrir de 3 fois leur volume d'eau. Laisser reposer le tout pendant la nuit.

2e jour : mettre les fruits et l'eau dans le chaudron à confire et cuire pendant 10 minutes. Retirer le chaudron du feu et le laisser reposer jusqu'au lendemain.

3e jour : mesurer la même quantité de sucre que de fruits et cuire le tout pendant environ 2 heures ou jusqu'à l'obtention d'une consistance de gelée. Laisser refroidir la marmelade, empoter, paraffiner et fermer les pots.

MARMELADE D'AMANDES ET DE RHUBARBE

2,5 kg (5 lb environ) de rhubarbe
3 kg (6 lb environ) de sucre
225 g (½ lb) d'amandes
2 citrons
375 ml (1 ½ tasse) d'eau

Laver et couper la rhubarbe en morceaux de 2,5 cm (1 po). Mettre la rhubarbe dans le chaudron à confire avec les citrons hachés, l'eau et le sucre. Cuire le tout à feu doux jusqu'à épaississement. Incorporer les amandes hachées à la confiture juste avant de retirer celle-ci du feu. On peut remplacer les amandes par des raisins secs mais ceux-ci doivent être incorporés à la confiture 10 à 15 minutes avant la fin de la cuisson. Verser la confiture dans les pots stérilisés chauds et sceller aussitôt.

MARMELADE DE CAROTTES ET D'ORANGES

6 carottes
3 oranges
1 citron (jus et zeste râpé)
Sucre

Couper les carottes en cubes et cuire jusqu'à ce qu'elles soient tendres dans le moins d'eau possible. Hacher les oranges avec la pelure (mais dénoyautées) et les ajouter, avec le jus et le zeste râpé de citron, aux carottes. Mesurer le tout et pour 750 ml (3 tasses) de fruits compter 500 ml (2 tasses) de sucre. Mettre le tout dans le chaudron à confire et cuire à feu doux jusqu'à ce que la marmelade soit claire. Verser la marmelade dans les pots stérilisés chauds et les laisser refroidir avant de paraffiner et de sceller.

MARMELADE DE CITRONNELLE (MELON-CITRON)

3 kg (6 lb environ) de chair de citronnelle
2,25 kg (9 tasses environ) de sucre
3 citrons (jus et zestes tranchés finement)

Trancher la citronnelle sur le sens de la longueur en 8 quartiers. Commencer à enlever les noyaux avec la pointe d'un couteau puis couper la chair centrale du melon et finir de dénoyauter. Hacher grossièrement la pulpe obtenue. Peler ensuite les morceaux d'écorce en enlevant toute chair trop verte puis les hacher à leur tour. Placer toute la pulpe obtenue dans le chaudron à confire, la couvrir de sucre et la laisser reposer toute la nuit.

Le lendemain, porter le tout à ébullition et cuire à feu assez vif pendant 1 heure. Ajouter alors le jus de citron et les zestes tranchés au mélange et cuire 20 minutes de plus. Écumer la marmelade puis l'empoter aussitôt dans les pots stérilisés chauds.

Notes : la préparation de cette recette est assez longue car il ne faut laisser aucun noyau ni aucune chair verte dans la marmelade. La chair du melon-citron a un peu la consistance et la couleur de l'ananas (en moins juteux). Le fruit se vend à l'automne dans les marchés ; il ne se consomme que cuit. Malgré son peu de valeur alimentaire, cette marmelade a un goût excellent qui se rapproche de celui de la confiture d'ananas.

MARMELADE DE COINGS ET DE POMMES

Coings
Pommes
Sucre

Laver les coings, enlever les bourgeons floraux et les couper en petits morceaux. Couvrir d'eau et cuire jusqu'à ce qu'ils soient tendres. Passer au «chinois», mesurer la pulpe obtenue et ajouter la même quantité de pulpe de pommes acides. Pour chaque 750 ml (3 tasses) de pulpe de fruits, compter 450 g (2 tasses) de sucre. Cuire le tout pendant 25 minutes à feu doux. Verser dans les pots stérilisés et chauds et laisser refroidir avant de paraffiner et de sceller.

MARMELADE DE FIGUES (OU DATTES) ET DE RHUBARBE

500 ml (2 tasses) de figues ou de dattes sèches
500 ml (2 tasses) de rhubarbe
250 à 500 ml (1 à 2 tasses) d'eau
450 g (2 tasses) de sucre

Mettre les figues ou les dattes sèches coupées en quatre dans un plat de verre ou de grès et couvrir d'eau. Laisser tremper toute la nuit.

Le lendemain, hacher les figues ou les dattes égouttées (en gardant l'eau de trempage), puis les mettre dans le chaudron à confire avec la rhubarbe et le sucre (et l'eau de trempage). Cuire le tout jusqu'à consistance épaisse. Brasser souvent, surtout vers la fin de la cuisson.

Note : on peut incorporer des noix moulues ou grossièrement hachées à cette recette.

MARMELADE DE FRAISES

900 g (2 lb) de fraises cultivées
900 g (4 tasses) de sucre

La veille de la confection de la recette, disposer les fraises dans une terrine de terre cuite ou de verre et alterner les rangs de fraises et de sucre. Laisser reposer et le lendemain, verser le jus obtenu dans un chaudron et faire cuire à feu vif pendant 10 à 12 minutes. Écumer le sirop, puis y verser les fruits et cuire pendant

15 minutes. Écumer de nouveau puis couler la marmelade dans les pots stérilisés et chauds. Laisser refroidir les pots avant de les sceller.

MARMELADE DE GINGEMBRE

4 oranges
2 citrons
375 ml (1 ½ tasse) d'eau
¼ de c. à thé (à café) de bicarbonate de soude
1,2 kg (5 ½ tasses) de sucre
125 ml (½ tasse) de pectine
500 ml (2 tasses) de gingembre finement haché

Peler les oranges et les citrons. Couper la pulpe grossièrement et en retirer les graines et les parties coriaces. Avec un couteau tranchant, couper la partie blanche des zestes et la jeter. Trancher très finement les zestes et les cuire dans un chaudron couvert avec l'eau et le bicarbonate pendant 10 minutes en brassant le tout à quelques reprises. Ajouter alors la pulpe aux zestes. Couvrir le chaudron et mijoter les fruits pendant 20 minutes. Mesurer ensuite la préparation pour obtenir l'équivalent de 750 ml (3 tasses) de fruits cuits (en ajoutant un peu d'eau au besoin). Verser le sucre sur les fruits remis dans le chaudron, y incorporer en même temps le gingembre. Cuire doucement le tout pendant 5 minutes. Retirer alors du feu et incorporer la pectine au mélange. Laisser reposer pendant 5 minutes en remuant à quelques reprises. Amener à ébullition et cuire pendant 2 minutes exactement, puis mettre la marmelade dans les pots stérilisés et chauds. Couvrir de paraffine et laisser refroidir avant de mettre au frais.

MARMELADE D'ORANGES I

6 oranges
1 citron
2,75 litres (11 tasses) d'eau froide
1,5 kg (7 tasses) de sucre

Peler les oranges et bouillir les écorces dans l'eau jusqu'à ce qu'elles soient transparentes ; les laisser refroidir puis les trancher en minces lanières. Émincer le citron et hacher la pulpe des oranges. Couvrir d'eau froide et laisser reposer pendant la nuit.

Le lendemain, mijoter les fruits et les écorces pendant 3 heures. Incorporer le sucre et cuire 1 heure de plus. Verser la marmelade dans les pots stérilisés chauds et laisser refroidir avant de paraffiner et de sceller.

MARMELADE D'ORANGES II

6 oranges
3 citrons
2,5 litres (10 tasses) d'eau
2,5 kg (10 tasses) de sucre

Émincer les agrumes et les faire tremper dans de l'eau très froide pendant 24 heures. Placer les graines des fruits dans un sac de mousseline et faire tremper dans l'eau.

Le lendemain, cuire le tout à feu doux jusqu'à ce que les écorces soient tendres et que le liquide ait réduit à peu près de moitié. Retirer le sac de graines du jus, incorporer le sucre et cuire à découvert de 10 à 20 minutes ou jusqu'à consistance de gelée. Brasser constamment pendant les dernières minutes de cuisson.

MARMELADE D'ORANGES AMÈRES

900 g (2 lb) d'oranges de Séville
2 citrons
2,25 litres (9 tasses) d'eau froide
Sucre

Laver et essuyer les oranges et les citrons et en râper délicatement les zestes en ne conservant que la partie colorée. Placer ceux-ci au froid jusqu'au lendemain. Peler ensuite les fruits en les débarrassant des parties blanches. Hacher la pulpe des fruits et la mettre dans le chaudron à confire avec l'eau froide. Mijoter le tout pendant 30 minutes en brassant fréquemment le mélange. Passer le tout dans un sac à gelée et laisser égoutter pendant toute la nuit.

Le lendemain, mesurer le jus obtenu et compter, en tasses, autant de sucre. Mélanger les fruits, le sucre et les zestes râpés. Amener le mélange à ébullition en le brassant constamment et faire bouillir à feu assez vif jusqu'à consistance de gelée. Verser la marmelade dans les pots stérilisés chauds et laisser refroidir avant de paraffiner et de sceller.

MARMELADE D'OXFORD
(plus ou moins amère)

12 oranges de Séville (amères)
900 g (4 tasses) de sucre
Eau

Placer les oranges dans de l'eau froide et les faire bouillir pendant 2 à 3 heures en changeant l'eau de cuisson 1 ou 2 fois (selon qu'on désire une marmelade plus ou moins amère). Quand elles sont tendres, les passer puis les égoutter à fond et les laisser refroidir un peu. Les émincer en jetant seulement les noyaux, peser le tout et pour 450 g (1 lb) de pulpe, compter 900 g (4 tasses) de sucre et 1 tasse (250 ml) d'eau. Mélanger les fruits, le sucre et l'eau et mijoter le tout jusqu'à consistance désirée en brassant à quelques reprises. Laisser refroidir la marmelade dans les pots avant de paraffiner.

MARMELADE DE PÊCHES ET DE CERISES

1,5 kg (3 lb) de pêches
1 orange
1,5 kg (6 tasses) de sucre
250 ml (1 tasse) de cerises en conserve

Blanchir puis jeter les pêches en eau froide. Peler et trancher les pêches et hacher finement l'orange. Bien mélanger les fruits, leur ajouter le sirop des cerises, et les noyaux de pêches renfermés dans un sac de mousseline. Mijoter le tout pendant 1 heure. Retirer les noyaux du mélange et y incorporer les cerises entières. Remettre les fruits à cuire pendant 10 minutes environ, puis verser la marmelade dans les pots chauds stérilisés. Laisser refroidir avant de paraffiner et de sceller.

MARMELADE DE PÊCHES ET D'ORANGES

14 pêches moyennes
2 oranges
Sucre

Couper les oranges en deux, les émincer et les mettre dans un grand bol de verre ou de grès. Trancher les pêches en morceaux de 0,5 cm (¼ de po) et les ajouter aux oranges. Mélanger le tout et ajouter la même quantité de sucre. Mettre le tout dans le chaudron à confire, bien mélanger et cuire 30 à 45 minutes en brassant souvent. Verser la marmelade dans les pots stérilisés chauds et laisser refroidir avant de paraffiner et de sceller.

MARMELADE DE POMMES ET D'ORANGES

750 ml (3 tasses) de pommes
1 citron
125 ml (½ tasse) d'eau
2 oranges
700 g (3 tasses) de sucre
60 ml (¼ de tasse) d'amandes blanchies hachées

Peler et épépiner les pommes puis les hacher. Émincer les oranges et le citron (zeste et pulpe). Mélanger avec le sucre et l'eau dans la partie supérieure d'un bain-marie. Cuire jusqu'à ce que le mélange soit très épais en brassant constamment lors de la fin de la cuisson. Mettre la marmelade dans les pots stérilisés et laisser refroidir avant de paraffiner et de sceller.

MARMELADE DE PRUNES

1,2 kg (2 ½ lb) de prunes
2 oranges
450 g (3 tasses) de raisins secs
1,2 kg (5 tasses) de sucre

Hacher les prunes et les oranges en petits morceaux. Mettre les fruits et le sucre dans le chaudron à confire puis amener le tout à ébullition et cuire ainsi jusqu'à l'obtention d'une marmelade qui doit avoir la consistance d'une gelée. Verser dans les pots stérilisés chauds et laisser refroidir la marmelade avant de paraffiner et de sceller. Ne pas oublier de remuer de temps à autre durant la cuisson.

MARMELADE
DE PRUNES SAUVAGES

450 g (1 lb) de prunes sauvages
450 g (1 lb) de pommes
450 g (1 lb) de poires
1 kg (4 tasses) de sucre

Couper les prunes en deux et les dénoyauter. Peler les pommes et les poires et les épépiner. Placer tous les fruits dans le chaudron, couvrir avec le sucre et amener à ébullition en brassant fréquemment. Réduire le feu et mijoter le tout jusqu'à consistance de marmelade. Verser chaud dans les pots stérilisés et sceller aussitôt.

MARMELADE DE QUATRE FRUITS

450 g (1 lb) de fraises
450 g (1 lb) de cerises
450 g (1 lb) de framboises
450 g (1 lb) de groseilles
2 kg (8 tasses) de sucre

Préparer les fruits, les couvrir de sucre et les laisser reposer 1 ou 2 heures avant de les faire mijoter de 5 à 10 minutes. Remplir les bocaux stérilisés chauds, visser partiellement les couvercles et stériliser pendant 3 à 4 heures en eau bouillante. Sceller les pots aussitôt le temps écoulé. Les laisser refroidir puis les envelopper de papier journal avant de les remiser.

MARMELADE DE RHUBARBE ET DE RAISINS SECS

3,5 litres (14 tasses) de rhubarbe
coupée en morceaux de 1 cm (½ po)
450 g (3 tasses) de raisins secs
1,5 kg (7 tasses) de sucre
2 oranges (jus et zestes râpés)
125 ml (½ tasse) de noix de Grenoble

Mélanger dans le chaudron à confire les fruits, le sucre, le jus et les zestes d'orange. Laisser reposer le tout pendant 1 heure ou 2 puis cuire à feu très doux pendant 40 minutes environ, à découvert. Brasser fréquemment le mélange. Cinq minutes avant la fin de la cuisson, incorporer les noix hachées grossièrement à la marmelade. Verser dans des bocaux stérilisés chauds et laisser refroidir un peu avant de sceller. Cette recette donne 3 litres (12 tasses) de marmelade.

MARMELADE DE TROIS FRUITS

1 pamplemousse
6 oranges
3 citrons
Eau froide
Sucre

Peler le pamplemousse et les citrons et en jeter les écorces (ou en faire des zestes confits). Émincer les oranges non pelées et hacher la pulpe du pamplemousse et des citrons. Mesurer la pulpe obtenue et pour chaque 2 tasses (500 ml) compter 2 ¼ tasses (560 ml) d'eau très froide. Couvrir les fruits avec l'eau et laisser macérer le tout pendant la nuit.

Le lendemain, tout mettre dans le chaudron à confire et cuire jusqu'à tendreté des fruits. Mesurer de nouveau les fruits et compter une quantité égale de sucre. Tout remettre dans le chaudron à confire, brasser jusqu'à ce que le sucre soit dissous et cuire jusqu'à consistance de gelée. Verser la marmelade dans les pots stérilisés et laisser refroidir avant de paraffiner et de sceller.

Confitures 65

Conserves
et autres
recettes

CONSERVE D'ANANAS

Ananas
Sirop composé d'autant de sucre que d'eau (en volume)

Nettoyer, peler et trancher les ananas très mûrs. Les blanchir pendant 2 à 3 minutes puis les plonger dans l'eau froide. Les placer ensuite dans les bocaux et couvrir de sirop. Stériliser les pots pendant 30 minutes et sceller.

CONSERVE DE CASSIS

3 kg (6 lb) de cassis bien mûr
3 kg (12 tasses) de sucre Demerara
12 clous de girofle

Écraser grossièrement les clous de girofle, les mettre dans un sac de mousseline et placer celui-ci au fond d'un grand pot de grès. Alterner les rangs de fruits et de sucre jusqu'à 8 à 10 cm (3 à 4 po) du bord du pot. Tremper un morceau de papier d'emballage circulaire dans du brandy (ou alcool à 40 %) et le placer à la surface du dernier rang de sucre. Couvrir le pot hermétiquement. Le cassis peut se conserver ainsi indéfiniment à condition d'être gardé au frais.

CONSERVE DE CERISES

4,5 litres (18 tasses) d'eau
4,5 kg (10 lb) de cerises
5,5 kg (12 lb) de sucre

Laver les cerises et les dénoyauter (si désiré) puis les cuire dans l'eau pendant 20 minutes environ (jusqu'à ce qu'elles soient tendres). Incorporer le sucre au mélange et faire bouillir le tout vivement pendant quelques minutes. Laisser refroidir les cerises avant d'emplir les bocaux stérilisés. Paraffiner et sceller.

CONSERVE DE FRAISES
SANS CUISSON

Fraises
Sirop :
en comptant 450 g (2 tasses) de sucre
pour 250 ml (1 tasse) d'eau
compter 190 ml (¾ de tasse) de sirop
pour chaque bocal de 1 litre (4 tasses)

Laver et égoutter à fond les fruits, en écartant ceux qui sont trop gros ou trop mûrs. Remplir les bocaux stérilisés et les plus chauds possible à ras bords. Préparer le sirop et le faire cuire (jusqu'à ce qu'une goutte qu'on laisse tomber d'une fourchette forme un petit fil). Verser le sirop sur les fruits (jusqu'au bord des pots) et fermer les pots. Mettre les pots dans le stérilisateur et les recouvrir complètement d'eau bouillante. Couvrir le stérilisateur et n'en retirer les pots que lorsque l'eau a refroidi. Essuyer les pots et les envelopper dans du papier journal de manière à conserver leur couleur aux fraises. Conserver à l'ombre et au frais.

CONSERVE DE FRUITS ENTIERS

Fruits (dénoyauter les cerises, pêches et poires)
Sucre (autant que de pulpe en poids)

Préparer les fruits et, s'il y a lieu, les blanchir avant de les peler. Peser les fruits et le sucre et les mélanger délicatement au-dessus du feu dans le chaudron à confire. Retirer du feu et placer le tout dans les bocaux stérilisés chauds. Conserver au froid.

CONSERVE DE GROSEILLES À MAQUEREAU

Groseilles
Sirop :
compter 450 g (2 tasses) de sucre
par 750 ml (3 tasses) d'eau

Laver et préparer les fruits en enlevant les pédoncules et les poils. Entasser les fruits dans les bocaux stérilisés et chauds et couvrir aussitôt de sirop bouillant. Stériliser les pots pendant 20 minutes et sceller aussitôt.

CONSERVE DE PÊCHES OU D'ABRICOTS

Fruits pas trop mûrs
Sirop :
composé de 225 g (1 tasse) de sucre
pour 500 ml (2 tasses) d'eau

Blanchir les fruits pendant 2 minutes puis plonger rapidement en eau froide. Les peler et les couper en 2 ou 4 quartiers. Les placer dans les bocaux, les couvrir de sirop. Stériliser les pots pendant 15 minutes et sceller aussitôt.

CONSERVE DE POMMES

Pommes
Sirop :
composé de 450 g (2 tasses) de sucre
pour 750 ml (3 tasses) d'eau

Laver, peler et couper les pommes. Enlever les meurtrissures et les cœurs des quartiers de pommes et les jeter à mesure dans une solution d'eau vinaigrée (afin de les empêcher de noircir). Blanchir ensuite les pommes pendant 2 minutes puis les jeter aussitôt en eau froide. Les entasser dans les bocaux puis les couvrir de sirop. Stériliser les pots pendant 20 minutes et sceller aussitôt.

CONSERVE DE PRUNES

Prunes
Sirop :
composé de 450 g (2 tasses) de sucre
pour 250 ml (1 tasse) d'eau

Laver, essuyer, couper en deux et dénoyauter les fruits. Les placer dans les bocaux stérilisés, couvrir de sirop puis stériliser les pots pendant 20 minutes. Sceller aussitôt.

CONSERVE DE RHUBARBE

Rhubarbe
Sirop :
composé de 450 g (2 tasses) de sucre
pour 250 ml (1 tasse) d'eau

Laver la rhubarbe et, sans la peler, la couper en morceaux d'une bouchée. Les blanchir pendant 2 minutes puis les jeter aussitôt en eau froide. Remplir les bocaux, couvrir de sirop puis stériliser les pots pendant 20 minutes. Sceller aussitôt.

BEURRE DE PÊCHES

450 g (1 lb) de pêches
450 g (2 tasses) de sucre

Cuire les pêches (blanchies en eau bouillante puis pelées et tranchées) à feu très doux. Ajouter alors la moitié du sucre et cuire pendant une demi-heure toujours à feu très doux et en brassant à quelques reprises. Passer alors le mélange au « chinois » puis ajouter le reste du sucre et cuire pendant quelques minutes additionnelles. Empoter chaud. Laisser refroidir avant de paraffiner et de sceller.

BEURRE DE POMMES

Pommes
Cidre
Sucre

Cuire les pommes préparées dans du cidre (en comptant 1 part de cidre pour 3 parts de pommes) en les sucrant au goût. Quand le beurre est très épais, le verser aussitôt dans les pots chauffés au four. Chasser les bulles d'air qui se forment le long des parois des pots à l'aide d'un couteau stérilisé. Sceller aussitôt et conserver au frais.

BEURRE DE POMMETTES

Pommettes
Sucre
Écorce de cannelle

Couper les pommettes en quatre et enlever les cœurs.
Dissoudre le sucre dans un peu d'eau, l'amener à ébullition et y disposer les fruits (qu'on aura gardés dans de l'eau vinaigrée ou citronnée pour les empêcher de noircir). Cuire jusqu'à ce que les pommettes soient tendres en ajoutant un morceau d'écorce de cannelle pour assaisonner. Passer au «chinois» et empoter chaud.

CERISES À L'EAU-DE-VIE

900 g (2 lb) de cerises
350 g (1 ½ tasse) de sucre en poudre
Cognac, brandy ou alcool à 40 %

Remplir à moitié les pots stérilisés de cerises. Verser le sucre sur celles-ci puis les couvrir de cognac. Laisser au moins 2,5 cm (1 po) d'espace près de l'embouchure des pots. Fermer hermétiquement les pots et les garder au sec. Attendre au moins 3 mois avant de commencer à consommer cette « confiture » qui constitue un excellent digestif.

CERISES MARINÉES

Cerises
Sel
Vinaigre
Eau froide

Laver les cerises en laissant 0,5 cm (¼ de po) de queue sur chacune. Placer les fruits dans des pots de 500 ml (2 tasses). Dans chaque pot, verser 1 c. à soupe de sel, 125 ml (½ tasse) de vinaigre et remplir le reste du pot avec de l'eau froide. Sceller et garder les pots au frais. Laisser macérer les cerises pendant au moins 1 mois avant de commencer à servir.

CONFITURE DE VIEUX GARÇON

Grand pot de grès
Fruits (sauvages, de préférence)
Sucre
Alcool à 40 %

Dans un grand pot de grès, placer les fruits nettoyés puis les recouvrir de sucre et d'alcool. Au printemps, des fraises ; en été, des framboises, des groseilles, etc. ; en automne, des cerises cultivées et des mûres. N'employer que des fruits très juteux. Garder le pot de grès bien couvert, de manière à ce que l'alcool ne s'évapore pas. Laisser vieillir cette « confiture » jusqu'au temps des Fêtes au moins. Servir dans de petits verres à liqueur comme digestif.

Note : ne jamais employer d'alcool à 90 % car celui-ci brûle littéralement les fruits.

ÉCORCES DE FRUITS CONFITES

Écorces d'orange, de citron et de pamplemousse
Sucre

Faire tremper les zestes d'orange, de citron et de pamplemousse pendant 2 jours, dans de l'eau froide, en ayant soin de renouveler celle-ci à plusieurs reprises. Au bout de ce temps, faire cuire les écorces dans l'eau pendant 2 heures. Les remettre à tremper dans de l'eau froide pendant 24 heures. Égoutter parfaitement puis peser les zestes et compter, par 450 g (1 lb) d'écorce, 900 g (4 tasses) de sucre et 500 ml (2 tasses) d'eau. Cuire le tout à feu doux jusqu'à ce que les écorces soient transparentes. Pour en assurer la conservation, reprendre la cuisson à 2 ou 3 jours d'intervalle. Après la cuisson finale, égoutter les zestes à fond puis les rouler dans le sucre tandis qu'ils sont encore tièdes.

Note : les zestes de pamplemousse cuisent plus rapidement que ceux d'orange ou de citron. Ces écorces s'emploient dans les gâteaux aux fruits.

JUS DE CERISE AIGRELETTE

Cerises
Sucre

Écraser les cerises et en exprimer le jus. Peser celui-ci et mesurer le double de ce poids de sucre. Faire cuire le jus et le sucre pendant 8 minutes environ et amener ce sirop à forte ébullition juste avant de le retirer du feu. Verser aussitôt dans les pots stérilisés et chauds et sceller aussitôt. Diluer ce sirop dans la même quantité d'eau avant de le servir, très froid de préférence.

JUS DE RAISIN SAUVAGE

3,5 kg (8 lb) de raisins sauvages
3 litres (12 tasses) d'eau
3 kg (6 tasses) de sucre

Cette recette n'a rien d'une confiture mais elle est si avantageuse et délicieuse que je ne puis m'empêcher de la donner ici.

Laver les grappes à l'eau courante puis les égrener. Peser les raisins puis pour chaque 3,5 kg (8 lb) de fruits, compter 3 litres (12 tasses) d'eau et 3 kg (6 tasses) de sucre. Cuire les raisins jusqu'à ce qu'ils soient tendres (environ une demi-heure, à couvert). Écumer de manière à empêcher le chaudron de déborder. Passer les fruits au « chinois » de manière à en extraire le plus possible de pulpe, remettre le marc de raisins dans le chaudron, couvrir d'eau et faire bouillir de nouveau. Exprimer le jus du marc le plus possible. Couler le jus obtenu dans une taie d'oreiller, puis laver le chaudron et y remettre tout le jus ; l'amener à ébullition et y incorporer le sucre, en brassant constamment. Écumer le jus à mesure que s'y forment les impuretés. Bouillir le jus pendant 5 minutes à feu assez vif, puis le verser aussitôt dans les pots stérilisés chauds qu'on scelle aussitôt. Ce jus peut s'employer tel quel ou dilué dans une partie d'eau.

Notes : le raisin sauvage doit être cueilli après une première gelée automnale. Si les tiges des grappes ont eu le temps de sécher, l'opération égrenage est superflue. Il suffit alors d'enlever des grappes les raisins verts, durs ou parasités. Ce jus peut se congeler dans des doubles sacs de plastique. Ne pas confondre la vigne sauvage avec le parthénocisse à cinq folioles dont le fruit est vénéneux.

PÂTE GÉLIFIÉE DE
FRUITS DE FLEUR DE LA PASSION

6 fruits de fleur de la passion
225 g (1 tasse) de sucre
2 citrons
2 œufs

Mélanger la pulpe des fruits et le sucre et ajouter le jus des citrons. Battre les œufs, les incorporer au premier mélange et placer le tout dans la partie supérieure d'un bain-marie. Cuire à feu modéré en brassant de temps à autre. Quand le mélange commence à épaissir, le laisser cuire 15 minutes de plus, en brassant très souvent.

PÊCHES ÉPICÉES

3 kg (6 lb) de pêches
1,5 kg (6 tasses) de sucre
500 ml (2 tasses) d'eau
120 g (¼ de lb) de cannelle entière
60 g (2 oz) de clou de girofle entier
30 g (1 oz) de gingembre frais
500 ml (2 tasses) de vinaigre

Blanchir les pêches, les peler et les faire cuire pendant 5 minutes dans un sirop composé de 2 parties d'eau pour 1 partie de sucre. Refroidir le tout rapidement et le laisser reposer de 2 à 3 heures puis retirer les pêches du sirop. Ajouter au sirop le vinaigre, ce qu'il reste du sucre (si tel est le cas) et les épices encloses dans un sac de mousseline. Faire bouillir ce mélange de 10 à 15 minutes. Ajouter ensuite les pêches au sirop, puis cuire le tout pendant 30 minutes environ. Retirer le chaudron du feu et laisser refroidir le mélange pendant la nuit.

Le lendemain, retirer le sac d'épices du chaudron et placer les pêches dans les bocaux stérilisés. Remettre le sirop à bouillir puis en couvrir les pêches. Refaire un peu de sirop au besoin de manière à remplir les pots. Sceller aussitôt.

PECTINE NATURELLE

Pommes sauvages

Remplir un chaudron de pommes (les plus dures possible) coupées en quatre. Couvrir les pommes d'eau et les cuire à l'étouffée jusqu'à ce qu'elles soient tendres. Placer le tout dans un sac à gelée et laisser égoutter pendant la nuit.

Le lendemain, verser le jus obtenu dans les bocaux et stériliser ceux-ci pendant 40 minutes puis sceller les pots.

Employer cette pectine naturelle à raison de 250 ml (1 tasse) par 450 g (2 tasses) de sucre employé.

POIRES AU GINGEMBRE

2,5 kg (5 lb environ) de poires dures
750 ml (3 tasses) d'eau
2,5 kg (10 tasses) de sucre
80 ml (⅓ de tasse) de gingembre confit
(voir recette, p. 81)
3 citrons (jus et zestes râpés)

Peler, épépiner et trancher les poires dans le sens de la longueur. Cuire ensuite dans l'eau jusqu'à ce qu'elles soient tendres. Ajouter le reste des ingrédients aux poires et cuire la confiture jusqu'à ce qu'elle soit épaisse. Verser dans des pots stérilisés chauds et sceller aussitôt.

POMMES ÉPICÉES

Pommes
Sirop :
composé de 1 partie de sucre pour 3 parties d'eau
Vinaigre de cidre
Épices au goût :
badiane (anis étoilé), clous de girofle, cannelle,
muscade, gingembre, etc.
Zestes de citron ou d'autres agrumes

Préparer le sirop en y ajoutant un peu de vinaigre de cidre. Faire bouillir les épices, encloses dans un sac de mousseline, dans le sirop pendant 10 minutes environ. Jeter les pommes non pelées dans ce sirop et les cuire doucement jusqu'à ce qu'elles soient saturées de sirop et avant qu'elles ne commencent à ramollir. Retirer aussitôt les pommes du sirop et remplir les bocaux stérilisés chauds. Ramener rapidement le sirop à ébullition puis en couvrir les pommes. On peut mettre des morceaux d'épices dans les pots si désiré. Sceller aussitôt les pots.

POMMETTES MARINÉES

900 g (2 lb) de pommettes
1 litre (4 tasses) d'eau froide
Vinaigre blanc
700 g (3 tasses) de sucre
500 ml (2 tasses) de vinaigre de cidre
1 écorce de cannelle grossièrement cassée
Quelques tranches de gingembre
1 c. à soupe de clous de girofle

Laver les pommettes puis les couper en deux et en enlever les cœurs. Les mettre à mesure dans de l'eau froide vinaigrée (ce qui les empêche de noircir). Préparer un sirop avec le sucre, le vinaigre de cidre et les épices. Porter ce mélange à ébullition et le laisser mijoter pendant 10 minutes. Mettre les pommettes dans le sirop et les cuire jusqu'à ce qu'elles soient tendres. Les retirer du sirop et les placer dans les bocaux préalablement stérilisés et gardés chauds au four. Les recouvrir du sirop chaud (avec les épices). Sceller aussitôt les pots et les placer la tête en bas pour les laisser refroidir.

SIROP DE FRAMBOISES
OU DE MÛRES DE RONCES

750 ml à 1 litre (3 à 4 tasses) de jus de framboise
ou de mûre
2,5 à 3 kg (5 à 6 tasses) de sucre

Écraser les fruits puis mesurer le jus obtenu. Faire dissoudre le jus de framboise et le sucre à feu très doux. Verser le sirop dans des bouteilles stérilisées et sceller aussitôt. Conserver les bouteilles au frais. Ce sirop se congèle aussi très bien. Employer le sirop en le diluant dans le même volume d'eau.

VINAIGRE DE FRAMBOISES OU DE MÛRES I
(Préparation longue)

1er jour : 2 litres (8 tasses) de fruits
2 litres (8 tasses) de vinaigre
3e jour : 2 litres (8 tasses) de fruits
5e jour : 3 kg (6 tasses) de sucre

1er jour : mettre 2 litres (8 tasses) de fruits et le vinaigre dans un pot de grès et laisser macérer le tout pendant 2 jours.

3e jour : passer les fruits dans le « chinois » puis leur ajouter 2 autres litres (8 tasses) de fruits. Laisser reposer de nouveau pendant 2 jours.

5e jour : passer le mélange au « chinois » puis dans un sac à gelée ou un tamis à mailles très fines. Verser le jus obtenu dans le chaudron à confire, l'amener à ébullition puis y faire fondre le sucre. Cuire le tout pendant 20 minutes en écumant souvent le mélange. Amener à vive ébullition puis verser le vinaigre de fruits dans les pots stérilisés chauds et sceller aussitôt.

VINAIGRE DE FRAMBOISES OU DE MÛRES II
(méthode rapide)

Fruits
Vinaigre

Remplir de fruits un pot de grès, presser légèrement les fruits puis les recouvrir de vinaigre. Couvrir le pot et laisser macérer le tout pendant 1 mois, au bout duquel on filtre le vinaigre obtenu.

Note : ces deux « vinaigres » s'emploient dilués dans de l'eau sucrée très froide et sont très rafraîchissants aux temps chauds de l'été.

ZESTES D'ORANGES
OU DE CITRONS CONFITS

4 pelures d'oranges ou 5 pelures de citrons
225 g (1 tasse) de sucre
60 ml (¼ de tasse) d'eau très froide

Émincer les zestes d'agrumes après en avoir gratté la chair intérieure blanche. Faire tremper dans de l'eau froide pendant 2 heures, puis égoutter à fond et cuire à feu doux avec l'eau froide (4 c. à soupe) et le sucre. Quand les zestes sont transparents, retirer le tout du feu et rouler les morceaux de zeste dans du sucre puis faire sécher à l'air sur du papier d'emballage. On peut aussi les sécher à feu très lent dans un four où circule un courant d'air chaud.

Annexes

Origine des noms de fruits

Abricotier. Originaire d'Asie centrale et connu depuis plus de deux millénaires, son nom provient du catalan *albercoc* devenu dans notre langue *aubercot* puis *abricot*.

Agrume. La plupart d'entre eux sont originaires d'Asie orientale. Le nom d'*agrume* provient de l'italien *agrume* qui sert à désigner les fruits à suc acide.

Airelle. Voir Bleuet.

Amandier. Originaire d'Asie occidentale, son nom provient des noms latin et grec du fruit *amugdalê* et *amygdala*. Appelé d'abord *alemande,* le fruit prit son nom d'*amande* dès le XIIIe siècle.

Ananas. Originaire du Brésil et d'Amérique centrale, son nom provient du mot indigène *nana* dont les Portugais firent le mot *ananas* passé dans notre langue dès 1544.

Avocat. Originaire d'Amérique centrale, son nom provient du vieux mot espagnol *avocado* tiré lui-même du caraïbe *avoka.* On l'appelle aussi « poire d'avocat » ou « poire d'alligator ».

Baies d'églantier. Le nom d'*églantier* provient du mot latin *aculeus* (aiguillon). Quant au nom de *rose,* il provient peut-être d'un mot sanscrit signifiant « flexible », par allusion à la souplesse des tiges du rosier. Pour l'origine du mot *cynorrhodon,* voir p. 22.

Bleuet (myrtille). Le nom de *bleuet* est un canadianisme. Quand au nom de *myrtille,* il provient du mot *myrtus* (myrte). Le nom d'*airelle* provient du mot latin *ater* (sombre, noir). Le nom de *canneberge* donné à l'airelle à fruits rouges proviennent probablement de l'anglais *cranberry*.

Canneberge. Voir Bleuet.

Cantaloup. Son nom provient peut-être du fait que le fruit était cultivé à Cantalupo, nom d'une villa des papes située près de Rome (XVIIIᵉ siècle).

Cassis. Le nom provient probablement du latin *cassia* par lequel on désignait une substance aromatique (peut-être la cannelle).

Cerise (et merise). Originaire d'Asie occidentale, son nom provient des mots grec et latin *kerasion* et *cerasum*. Le nom de *cerise* est apparu dans notre langue dès le XIIᵉ siècle. Le nom de *merise* donné à certaines sortes de cerisiers sauvages provient de la concentration des mots *amarum cesarum* (cerise amère).

Citron. Originaire d'Asie, le nom de ce fruit provient des mots grec et latin *kitrion* et *citreum*.

Citrouille. À cause de sa couleur, on a donné à ce fruit-légume ce nom tiré du latin *citrullus* (pareil au citron).

Coco (noix de). Originaire des îles du Pacifique, elle doit son nom au mot portugais *coco* qui, après avoir signifié *singe,* fut appliqué au fruit à cause de sa forme et de son aspect hirsute.

Coing. Originaire d'Arménie et d'Iran, ce fruit tire son nom des mots grec et latin *kudônia* et *cydonium* (mots créés à partir du nom d'une ville du nord de la Crête, Kydônia). En français, le fruit s'appela *cooin,* puis *coin* et enfin, à partir du XVIIIᵉ siècle, *coing.*

Datte. Connu depuis des millénaires et entrant pour une bonne part dans l'alimentation des peuples du désert, ce fruit doit son nom français aux mots grec et latin *daktulos* et *dactylus* (doigt) qui font allusion à la forme allongée des fruits.

Figue. Originaire de l'Asie occidentale, ce fruit tire son nom du latin *ficus* (figuier). En français, il s'appela *fie* et *fige* avant de prendre sa forme définitive au XIIIe siècle.

Fraise. Le nom de ce faux fruit (la fraise est en réalité un réceptacle charnu porteur de petits fruits secs appelés «akènes») provient du latin *fraga*.

Framboise. Le nom de ce fruit provient de l'ancien allemand *bramberi* (mûre de ronces), mot lui-même de *bram* (arbuste épineux, ronce) et *beere* (baie).

Gadelle. Voir Groseille.

Goyave. Originaire de l'Amérique tropicale, la goyave doit son nom à l'espagnol *guyaba,* lui-même issu du péruvien *gahyaba.* Le mot est entré dans notre langue vers 1640 sous le nom original de *gouyave.*

Grenade. Originaire d'Asie occidentale, ce fruit tire son nom du latin *granatum* (bien pourvu de grains). Le fruit a donné son nom à la ville de Grenade (Espagne) où la culture du fruit était florissante.

Groseille. Le nom français de ce fruit provient du néerlandais *croesel* qui signifiait «baie frisée». Le nom de *groseille à maquereau* donné à la groseille verte provient du fait que ce poisson était servi avec une sauce faite avec ce fruit (voir recette, p. 63). Le nom de *gadelier* ou *gadellier* donné au Québec aux groseilliers sauvages à fruits noirs et rouges provient de Normandie. Ce nom provient peut-être du breton *gardiz* (rude, piquant, aigre) qui se transformera en *garde, grade* et *gradille.*

Mandarine. Originaire de Chine, son nom français provient soit du mot sanscrit *mandalin,* soit de l'espagnol *mandarino* (qui signifiait « orange de mandarins » ou « espèce choisie d'orange »). La question de l'origine du nom demeure. Les meilleures variétés proviennent encore de Chine et sont parfois vendues dans les épiceries spécialisées.

Melons divers. Originaires d'Afrique, leur nom provient des mots grec et latin *melon* et *melo* (pomme). Le mot est entré dans notre langue vers le XVIIIe siècle (voir aussi Cantaloup et Pastèque).

Merise. Voir Cerise.

Morelle noire. Appelée encore « bleuet de jardin » ou « tue-chien » (parce que les fruits de la plante sont vénéneux à l'état vert), la morelle noire doit son nom à la couleur noirâtre de ses fruits. Le nom provient du latin *maurus* (« maure », avec le sens de « brun foncé »).

Mûre de ronces. Si le nom de *ronce* fut probablement créé à partir du latin *rumicen* (dard), celui de *mûre* provient du latin *maurus* (« maure », par allusion à la couleur des fruits). Le nom de *mûre* sert aussi à désigner le fruit du mûrier noir qui se rencontre dans certaines régions de France. Le nom de *plaquebières* (ou *blackbières* ou *mûres blanches*) est donné dans l'Est du Québec aux fruits d'abord rouges puis ambrés et translucides de la ronce petit-mûrier (*rubus chamaemorus*). On pourrait croire que ce nom de *plaquebière* est une corruption de l'anglais *blackberry*, il n'en est rien. Selon Marie Victorin (*Flore Laurentienne,* Presses de l'Université de Montréal, p. 331), « …comme le fruit n'est pas noir, cela n'aurait aucun sens. La clef de l'énigme est plutôt dans ce passage de Duhamel de Monceau (1755) : "M. Gaultier, médecin du Roi à Québec, m'écrit que ce qu'on appelle en Canada : Plat-de-bierre est un véritable Framboisier nain qui croît sur les rochers du nord, à Merigan (sans doute Mingan), côte du Labrador". Il semble donc s'agir d'un vieux mot français et *plat-de-bierre* est probablement une variante de *plat-de-bièvre,* c'est-à-dire : nourriture du castor ». Le nom de *chicouté* est donné au même fruit (qui doit être confit pour développer sa couleur ambrée, son goût et sa fragrance d'une délicatesse comparable à celle de la fraise sauvage) ; c'est un mot montagnais signifiant « feu » et qui fait allusion à la couleur rouge du fruit avant sa maturation. C'est une espèce essentiellement nordique. On fabrique en Finlande une liqueur de ce fruit qui porte le nom de *Cloudberry Liqueur.*

Myrtille. Voir Bleuet.

Nèfle. Originaire d'Arménie et d'Iran, ce fruit doit son nom aux mots grec et latin *mespilon* et *mespilum* devenus tour à tour en français *mesle, nesple* puis, au XIIIe siècle, *nèfle.*

Noix. C'est des mots latins *nux* et *nucleus* que sont issus les noms *noix, noyaux* et *noisette* (petite noix).

La **noix de cajou** n'est pas le fruit de l'acajou (qui donne un bois noir très recherché) mais bien celui de l'anacardier ; « … la partie que l'on mange, qui ressemble plus à une poire qu'à une pomme, n'est pas le fruit, mais le pédoncule du fruit, en forme de grosse fève ». (*Les Noms des Arbres,* L. Guyot et P. Gibassier, « Que sais-je? 861 »). Le nom d'*anacarde* est d'origine douteuse. Quant au cachou, une substance astringente de couleur brun foncé, il est extrait d'un arbre complètement différent des deux précédents, l'*acacia catechu.*

Originaire d'Amérique du Sud, l'**arachide** doit son nom aux mots grec et latin *arakos* et *arachis* (mots servant à décrire une légumineuse à graines comestibles). Quant au nom de **cacahuète** apparu dans notre langue en 1820, il provient du nom aztèque du cacao, l'arachide étant décrite par les Mexicains comme le cacao de terre (*tlacacahuatl*).

La **châtaigne** doit son nom à sa couleur châtaine.

Originaire d'Orient, la **pistache** est le fruit d'un arbre, son nom provient du persan *pista*. Il est entré dans notre langue sous la forme actuelle au XIIIe siècle. (Voir aussi Amande).

Orange. Originaire d'Asie orientale, l'orange doit originellement son nom au mot hindou *nagrunga* qui devint *narangj* en arabe, *aurantium* en latin médiéval et *arangi* en vieil italien. C'est vers le XVIe siècle qu'il prit sa forme définitive dans notre langue.

Pamplemousse. Originaire d'Indonésie, son nom provient du mot tamoul (dialecte hindou) *bambolmas*. Celui-ci sert à décrire un agrume énorme et de chair douce et fade. Le pamplemousse vendu dans nos marchés est un hybride supposé du pamplemousse et de l'orange dont le nom officiel est *pomelo*.

Papaye. Originaire d'Amérique tropicale, son nom reproduit le nom américain *papaya,* lui-même tiré du caraïbe, *ababai*.

Pastèque. Appelée encore « melon d'eau », son nom est originaire d'Afrique et provient des langues anciennes du Proche-Orient (égyptien *bettouka,* arabe *al-battika*). En français, le fruit s'appela d'abord *patèque* (du portugais *pateca*) et ne prit sa forme actuelle qu'au début du XVIIIe siècle.

Pêche. Originaire de Chine, ce fruit tire son nom des mots grec et latin *persikon* et *persica* (ces mots faisant référence à la Perse où le fruit fut cultivé après sa découverte en Chine).

Plaquebière. Voir Mûre de ronces.

Poire. Originaire d'Asie occidentale, ce fruit doit son nom au latin *pirum*. Il prit sa forme actuelle au XVIIIe siècle.

Pomme. Originaire d'Asie occidentale, le nom du fruit provient du mot latin *pronum* qui signifiait à l'origine «toute espèce d'arbre fruitier». Il ne prit sa forme définitive qu'au Moyen-Âge.

Prune. Originaire d'Asie occidentale. Le nom de ce fruit provient du latin *prunus*. Il est apparu dans notre langue au XIIIe siècle.

Rhubarbe. Originaire d'Asie intérieure, cette plante aux tiges comestibles très employées en confiturerie tire son nom du latin médiéval *rheubarbarum* (racine de Barbarie) qui fait probablement allusion à l'origine et aux propriétés médicinales de ces racines.

Rose. Voir Baies d'églantier.

Tomate. Originaire d'Amérique centrale, elle ne commença à être cultivée qu'à partir du XVIIIe siècle. Son nom dérive de l'aztèque *tomatl* par l'espagnol *tomata*.

Vigne. Plante connue depuis la préhistoire et qui, en français, tire son nom des mots latins *vitis* et *vinum*. Le nom de *raisin* provient du sanscrit *rasa*.

Plantes à sucre

Le mot *sucre* provient du sanscrit *sakkarapuis* et de l'arabe *soukkar*.

Canne à sucre. Désignée d'abord comme le roseau sucré, elle devint la canne à sucre ; malgré que la plante provienne d'Asie méridionale, elle est aujourd'hui cultivée sous tous les Tropiques. Son produit brut est la mélasse (noire ou des Barbades) et le sucre Demerara, ou sucre brun, en est la forme semi-raffinée.

Betterave sucrière. C'est en Germanie que semble avoir pris naissance l'usage de la betterave sucrière comme plante potagère ; cet usage ne fut connu en France qu'au XVIe siècle. Le nom de *betterave* est composé des mots *bette* et *rave* (chacun servant à décrire un légume différent, soit la bette à cardes – ou poirée – et le navet-rave). Le mot *bette* provient du mot grec *bliton* (devenu en latin *beta*) ; le mot *rave* provient du latin *rapum* et sert à décrire certains légumes-racines (chou-rave, céleri-rave, persil-rave). Ce n'est que vers le début du XIXe siècle qu'on commença à extraire du sucre (saccharose) de la betterave sucrière.

Érable et bouleau. Au Québec, on extrait de ces deux arbres un sirop et un sucre. Le nom d'*érable* provient du latin *acer* (dur), celui du bouleau, du latin *betulla* (peut-être issu du gaulois *beto*).

D'autres plantes sont très riches en sucre. Mentionnons au passage le **bouillon-blanc** (ou molène) qui contient jusqu'à 10 % de saccharose. Le nom de la plante provient du gaulois *bugilo* qui signifiait « bouillée », allusion à ce que la plante servait à faire des tisanes (bouillies). Le mot *bouillon-blanc* fait peut-être allusion à la couleur même de cette bouillée.

Tableau I

TEMPS DE RÉCOLTE
ET D'ACHAT DES FRUITS

Fruits	Sauvages	Récolte (Cultivables)	En magasin
Alkékenges (cerises de terre)	oui	fin de l'été	fin de l'été
Angélique (tiges)	oui	mi-été	non
Baies d'églantier	oui	fin de l'été	non
Bleuets (myrtilles)	oui	mi-été	mi-été
Canneberges	oui	été	automne
Cerises	non	mi-été	mi-été
Citrouilles	non	fin de l'été	fin de l'été
Fraises cultivées	non	juin	juin
Fraises sauvages	oui	juin (parfois)	non
Framboises	oui	juillet	juillet
Groseilles (diverses)	oui	été	été (rare)
Marrons (châtaignes)	non	(non)	automne
Melons (divers)	non	automne	automne
Morelles noires	rare	fin de l'été	fin de l'été
Mûres de ronces	oui	fin de l'été	fin de l'été (rare)
Pêches	non	(non)	été/automne
Pimbinas (viornes)	oui	fin de l'été (parfois)	fin de l'été
Poires	non	fin de l'été	fin de l'été
Pommes (diverses)	oui	automne	automne
Prunes cultivées	parfois	fin de l'été	fin de l'été
Prunes sauvages	oui	fin août (non)	fin août (rare)
Raisins cultivés	parfois	fin de l'été	fin de l'été
Raisins sauvages	oui	fin de l'été	non
Rhubarbe (tiges)	parfois	tout l'été	tout l'été
Sorbes	parfois	fin de l'été	fin de l'été
Sureau	oui	fin de l'été (parfois)	non
Tomates jaunes	non	fin de l'été	fin de l'été (rare)

Tableau II

TEMPS DE SÉCHAGE AU FOUR DE QUELQUES FRUITS

Note : pour tous ces fruits le four doit être à 40-50 °C (110-140 °F)

Abricots *	4 à 6 heures
Cerises	2 à 4 heures
Pêches	4 à 6 heures
Poires	4 à 6 heures
Pommes	4 à 6 heures
Prunes *	4 à 6 heures
Rhubarbe	6 à 8 heures

* Blanchir les fruits 20 minutes puis les jeter en eau froide avant de les couper.

Tableau III

CONGÉLATION DES FRUITS

Fruits	Méthode	Instructions particulières
Abricots	Sirop	Compter 750 g (3 tasses) de sucre pour 500 ml (2 tasses) d'eau. Blanchir, peler et couper en deux. Enrober de sucre.
Ananas	Au sucre	Compter en poids 1 partie de sucre par 5 parties de fruits tranchés.
Canneberges	Au sec ou en eau froide	
Cerises	Au sucre	Compter en poids 1 partie de sucre par 5 parties de fruits dénoyautés.
Fraises cultivées	Au sucre	Trancher les fraises et compter en poids 1 partie de sucre par 4 parties de fruits.
Groseilles à maquereau	Au sec ou en eau froide	
Pêches	Au sucre	Compter en poids 1 partie de sucre par 4 parties de fruits tranchés Enrober de sucre.
Petits fruits	À sec ou au sucre	Compter en poids 1 partie de sucre par 3 parties de fruits (bleuets, cerises, fraises, etc.)
Pommes	Au sirop ou en compote	Compter 450 g (2 tasses) de sucre pour 500 ml (2 tasses) d'eau. Tremper d'abord les fruits tranchés dans une saumure (125 ml/ ½ tasse de sel dans 4 litres/ 16 tasses d'eau). Bien égoutter et assécher.
Prunes	Au sirop ou en compote	Compter en poids 1 partie de sucre par 4 parties de fruits.
Rhubarbe	À sec ou en eau froide	

Remarques : la texture aqueuse des melons (cantaloup, pastèque, etc.) et des poires fait qu'ils se congèlent très mal.
Le prix élevé des agrumes et des fruits tropicaux, et la délicatesse de leur texture rendent désavantageuse leur congélation. Il est donc préférable de les manger frais.
Compotes : préparer les compotes en comptant 225 g (1 tasse) de sucre pour 1,75 litre (7 tasses) de pulpe de fruits. Cela ne s'applique toutefois pas aux compotes légères présentées dans ce livre.
Jus de fruits : congeler tels quels en laissant un espace dans les contenants pour que le jus puisse prendre de l'expansion. Consommer après 8 à 12 mois au plus.

Tableau IV

RENDEMENTS APPROXIMATIFS
DES FRUITS FRAIS EN CONFITURE
(AU POIDS)

Fruits	Poids (kilos)	Rendement (litres)	Poids (lb)	Rendement (pintes)
Abricots	9	13,5	20	12
Cerises	9	15	20	13
Fraises	7	11,5	15	10
Pêches	3,5	4,5	8	4
Petits fruits	7	13,5	15	12
Poires	6	6,5	14	6
Prunes	3,5	5,5	8	5

Tableau V

GUIDE DE MISE EN CONSERVE DES FRUITS

Fruits	Blanchiment	Au sirop	Au sucre (par litre)	Stérilisation	
				Chaudron ordinaire	Autoclave
Abricots	2 min.	II	175 g (¾ de tasse)	16 min.	10 min.
Ananas[1]	3 à 5 min.	II à III	225 g (1 tasse)	30 min.	10 min.
Bleuets (myrtilles)	–	II	150 g (⅔ de tasse)	16 min.	10 min.
Cerises	–	II	175 g (¾ de tasse)	16 min.	10 min.
Coings	1 ½ min.	II	175 g (¾ de tasse)	20 min.	8 min.
Fraises[2]	–	III	225 g (1 tasse)	16 min.	10 min.
Framboises	–	III	225 g (1 tasse)	16 min.	10 min.
Fruits sans sucre[3]	–	–	–	30 min.	12 min.
Groseilles rouges et cassis[4]	–	III	300 g (1 ¼ tasse)	16 min.	10 min.
Groseilles vertes[5]	1 min.	III	300 g (1 ¼ tasse)	16 min.	10 min.
Mûres de ronces	–	II	175 g (¾ de tasse)	16 min.	10 min.
Pêches	1 à 2 min.	II	175 g (¾ de tasse)	20 min.	10 min.
Poires[6]	1 ½ min.	I	150 g (⅔ de tasse)	20 min.	8 min.
Pommes[7]	1 à 2 min.	I à II	150 g (⅔ de tasse)	20 min.	8 min.
Prunes	1 min.	II	175 g (¾ de tasse)	16 min.	10 min.
Rhubarbe[5]	1 à 3 min.	II à III	300 g (1 ¼ tasse)	20 min.	15 min.

1. Blanchir après traitement.
2. Voir Conserve de fraises sans cuisson, p. 132.
3. Voir méthode Sans sucre au naturel, p. 37.
4. Voir Conserve de cassis, p. 130.
5. Se conserve aussi en eau froide.
6. Peler avant blanchiment.
7. Traiter avant blanchiment.

I. Sirop clair : 225 g (1 tasse) de sucre pour 500 ml (2 tasses) d'eau.
II. Sirop moyen : 225 g (1 tasse) de sucre pour 250 ml (1 tasse) d'eau.
III. Sirop épais : 1 ½ tasse de sucre pour 1 tasse d'eau.

Tableau VI

GUIDE POUR LES GELÉES

Fruits	Remarques	Proportions		Temps de cuisson du jus	Proportions	
		Eau	Fruits		Jus	Sucre
Canneberges	Cuire jusqu'à l'éclatement des fruits.	250 ml (1 tasse)	1 litre (4 tasses)	3 à 5 min.	250 ml (1 tasse)	175 g (¾ de tasse)
Cassis	Écraser les fruits. Cuire de 8 à 10 min.	Couvrir		5 à 8 min.	250 ml (1 tasse)	175 g (¾ de tasse)
Fraises ou framboises	Faire fondre. Écraser les fruits. Ajouter de la pectine.	Très peu		18 à 20 min.	250 ml (1 tasse)	225 g (1 tasse)
Groseilles rouges	Écraser les fruits. Cuire de 8 à 10 min.	180 ml (¾ de tasse)	250 ml (1 tasse)	5 à 8 min.	250 ml (1 tasse)	175 g (¾ de tasse)
Groseilles vertes	Écraser les fruits. Cuire de 8 à 10 min.	180 ml (¾ de tasse)	250 ml (1 tasse)	5 à 8 min.	250 ml (1 tasse)	175 g (¾ de tasse)
Mûres de ronces	Faire fondre. Ajouter de la pectine.	Très peu		18 à 20 min.	250 ml (1 tasse)	225 g (1 tasse)
Pommes acides et pommettes		Couvrir		5 à 8 min.	250 ml (1 tasse)	150 g (⅔ de tasse)
Prunes	Couper les fruits. Cuire avec les noyaux.	Couvrir		5 à 8 min.	250 ml (1 tasse)	175 g (¾ de tasse)
Raisins cultivés ou sauvages	Écraser les fruits.	Couvrir		12 à 15 min.	250 ml (1 tasse)	175 g (¾ de tasse)

Tableau VII

COMBINAISONS DE FRUITS POUR LES GELÉES

Fruits	Remarques	Temps de cuisson du jus	Proportions Jus obtenu	Sucre
Ananas 50 % Pommes 50 %	Couvrir d'eau.	12 à 15 min.	250 ml (1 tasse)	150 g (⅔ de tasse)
Bleuets 50 % Pommes 50 %	Écraser les bleuets. Couvrir d'eau.	12 à 15 min.	250 ml (1 tasse)	175 g (¾ de tasse)
Cerises 50 % Pommes 50 %	Écraser les cerises. Couvrir d'eau.	12 à 15 min.	250 ml (1 tasse)	150 g (⅔ de tasse)
Cerises sauvages 50 % Pommes 50 %	Couvrir d'eau.	12 à 15 min.	250 ml (1 tasse)	175 g (¾ de tasse)
Coings 50 % Pêches 50 %	Cuire les coings au préalable. Couvrir d'eau.	12 à 15 min.	250 ml (1 tasse)	175 g (¾ de tasse)
Mûres 25 % Pommes 75 %	Couvrir d'eau.	18 à 20 min.	250 ml (1 tasse)	150 g (⅔ de tasse)
Pêches 50 % Pommes 50 %	Couvrir d'eau.	12 à 15 min.	250 ml (1 tasse)	150 g (⅔ de tasse)
Rhubarbe 50 % Pommes 50 %	Couvrir d'eau.	12 à 15 min.	250 ml (1 tasse)	150 g (⅔ de tasse)

Index

MARQUIS

Québec, Canada

Achevé d'imprimer le 11 juin 2014

RECYCLÉ
Papier fait à partir
de matériaux recyclés
FSC® C103567

Imprimé sur du papier Enviro 100% postconsommation
traité sans chlore, accrédité ÉcoLogo et fait à partir de biogaz.